日本人が知らない近現代史の虚妄

インテリジェンスで読み解く第二次世界大戦

江崎道朗

SB新書
563

はじめに

近現代史に関するグローバル・トレンド

ヨーロッパとアメリカで近年、第二次世界大戦を中心とする近現代史の見直しが進んでいます。

第二次世界大戦においてアメリカとソ連は「正義の国」であり、日本は侵略を行った「悪い国」だとされてきましたが、果たして本当にそうだったのか、新たな事実が判明し、見直さざるを得なくなってきているのです。

誤解を恐れずに言えば、われわれが学校教育で教えられた第二次世界大戦、近現代史はもはや「時代遅れ」になりつつあるのです。

ビジネスでも、グローバル・トレンド、世界の大勢を見極めることが重要だと言われます。同じように歴史認識についても、グローバル・トレンドがあるのです。

私は永田町で政治家の政策スタッフ、具体的には外交、安全保障、インテリジェンスに関する政策研究と立案を担当してきました。そして国際社会の動きを理解するためには、近現代史をある程度、知っておかなければならないことを何度となく痛感させられました。「第二次世界大戦で悪いことをした日本は国際社会から嫌われており、日本は軍事的に弱い方がいいのだ」と受け止めて国際政治を見るのか、それとも「第二次世界大戦も実はいろいろな要因があって、必ずしも日本だけが悪かったわけではない。むしろ、日本にも評価すべき点があり、日本はインド太平洋の安定のために相応の役割を果たすべきだ」と考えて国際政治を見るのか、ではまったく見えてくる世界も、対外政策も異なってきます。

第二次安倍晋三政権が「自由で開かれたインド太平洋構想」といって、自由と民主主義、法の支配といった価値観に基づいてインド太平洋諸国と連携しようという国家戦略を打ち出しました。かつてならば、国際社会から「大東亜共栄圏の復活」などと、過去を持ち出されて非難を受けたに違いありません。

しかし、実際は非難されるどころか、日本のこの国家戦略に呼応して、第二次世界大戦当時、敵国であったアメリカ、オーストラリア、イギリス、フランスなどが日本との共同軍事訓練を実施するようになりました。インドやＡＳＥＡＮ諸国とも軍事訓練を頻繁に行うようになり、外交や経済だけでなく、軍事面でも日本は、欧米やアジア諸国との関係を強めています。

日本は戦後、第二次世界大戦で悪いことをしたので、永遠に軍事的な動きをすべきではないと、言われてきました。

しかし敵国であったアメリカもイギリスもフランスもオランダもいまやインド太平洋地域に軍艦や戦闘機を送り、日本とともに共同訓練を実施しているのです。それは欧米各国が、日本と軍事協力を進めることがインド太平洋諸国の平和と安定につながると考えているからです。日本が軍事的に強くなることがインド太平洋の平和につながると、考えてくれているのです。

いつの間にこうした国際状況になったのか。日本は悪い国ではなかったのか。日本の歴史教科書で近現代史を学んだ人にとって、沖縄近海で敵国であったアメリカ、イギリス、オランダ、カナダ、ニュージーランドの各国海軍艦艇と共同訓練を実施している状況は理解不能だと思います。

きっかけはソ連邦の解体であった

欧米各国の海軍艦艇が日本の自衛隊と共同訓練を実施するようになった背景には、中国の軍事的脅威への対応という側面があります。

と同時に、そもそも「第二次世界大戦で日本だけが間違っていたのか。むしろソ連、共産主義勢力の方が問題ではなかったのか」という方向で近現代史の見直しが進んでいることも要因だと思うのです。

この近現代史見直しの背景には、二つの大きな要因があります。

一つは、ソ連邦の解体と、東西冷戦の終結です。

一九八九年にベルリンの壁が崩壊すると、その後、雪崩《なだれ》を打ったようにポーランド、ハンガリーなど中・東欧諸国の「民主化」が起こります。そして最終的にソ連邦の解体とバルト三国の独立といった一連の「民主化」、正確に言えば、脱「共産主義」化の影響で、ソ連の戦争責任を追及する動きが急速に広がっているのです。

第二次世界大戦では、勝者つまり正義の側に立ったソ連が実は戦時中も戦後も、ドイツやポーランド、ハンガリーの内政に干渉し、秘密警察などによって言論弾圧、人権侵害を繰り返してきたことが公開されるようになりました。

その情報公開と責任追及の動きは、ソ連の影響下から脱し、自由を取り戻した中・東欧諸国が人権侵害の記録を集め、戦争博物館などにおいて情報を公開するようになったことで加速しています。

ソ連軍の占領時代と共産党政権時代に人権侵害で苦しんできた方々から聞き取り調査を行い、関連の文書・証拠を集め、出版し、博物館に展示する、という地道な作業がいまも中・東欧諸国では進んでいて、ソ連の戦争責任追及の動きは今後、ますます強まっていくでしょう。

もう一つは、第二次世界大戦から五十年を経た一九九五年を契機に、欧米諸国が第二次世界大戦に関する機密文書を公開するようになったことです。

一九九一年、ソ連邦の解体によってロシア連邦となり、その初代大統領となったボリス・エリツィンは、ソ連邦時代の世界各国に対する「秘密工作」に関する機密文書（通称「リッツキドニー文書」）の公開に踏み切りました。

この情報公開によって、ソ連が戦前から戦後にかけて各国にスパイや工作員を送り込み、各国の機密を盗んだり、各国の要人たちをスパイとするスパイ工作、各国の要人の暗殺や重要施設の破壊といったサボタージュ工作、そして、各国の要人やマスコミに働きかけてソ連や共産主義に有利となるような世論形成、宣伝を行う影響力工作を仕掛けていたことが「立証」されるようになったのです。

このリッツキドニー文書の公開に触発されてアメリカ政府（当時は、ビル・クリントン

「民主党」政権も終戦五十年にあたる一九九五年に、戦時中にアメリカ陸軍情報部がソ連と米国内のスパイとの暗号電報を傍受し、解読した機密文書「ヴェノナ文書」を公開しました。この「ヴェノナ文書」の公開は衝撃的でした。なにしろ第二次世界大戦中、F・D・ルーズヴェルト「民主党」政権内部に、ソ連のスパイや工作員が入り込み、アメリカの対外政策に大きな影響を与えていたことが判明したからです。

第二次世界大戦でアメリカは勝利しました。にもかかわらず、ヨーロッパでは、ドイツは分割され、ポーランドを含む中・東欧諸国はソ連の影響下に入り、ソ連主導の共産圏と、アメリカ主導の自由主義圏との対立、つまり東西冷戦が始まりました（この冷戦が終わったのは、第二次世界大戦終結から実に四十六年後の一九九一年のことです）。

アジアでも、「軍国主義」の日本を打ち倒せば平和が訪れるはずでした。しかし実際は、その後、中国大陸では国共内戦、つまり蔣介石《しょうかいせき》率いる中国国民党と、毛沢東率いる中国共産党が戦争を始め、結果的に中国大陸は、中国共産党政権のものになりました。

中国は一党独裁の共産党の国となり、中国大陸にいたキリスト教徒たちは国外に追放されたり、殺害されたりしました。しかもソ連に続いて中国も核兵器の開発に成功し、アメリカを始めとする国際社会は核戦争の恐怖におびえなければならなくなりました。

なぜ戦争に勝ったにもかかわらず、ヨーロッパでもアジアでも、ソ連の影響力が強まり、共産主義が広がることになったのか。アメリカのルーズヴェルト政権内部にソ連のスパイが入り込み、ソ連に有利な対外政策をしてきたからではないのか。そうした疑問と追及が一九四〇年代後半から五〇年代初頭にかけてアメリカでも起こりました（「マッカーシズム」、通称「赤狩り」と呼ばれる）。このときは、しっかりとした証拠もないため、疑念だけで終わりました。

しかし、ヴェノナ文書が公開されたことによって、ルーズヴェルト政権内部に入り込んでいたソ連のスパイたちが暗躍し、東欧とアジアをソ連に譲り渡したことが判明するようになったのです。公開された機密文書の研究が進んだことで、彼らソ連のスパイたちが意図的に反日感情を煽り、日米戦争へと誘導したことも判明しつつあります。アメリカの原爆技術がソ連のスパイによって盗まれたこともまた、明確になりました。

しかもイギリスも第二次世界大戦中の機密文書を公開するようになり、国際政治の「裏舞台」が少しずつわかってくるようになり、当時の英米の指導者たちとソ連の指導者が密約を交わし、中・東欧諸国の「自由」を蹂躙《じゅうりん》したという「不都合な真実」も少しずつ分かってくるようになりました。

アップデートされた近現代史

一方、日本政府も二〇〇一年に国立公文書館にアジア歴史資料センターを開設し、近現代（一八六〇年代から一九四五年前後）の日本とアジア近隣諸国との関係に関わる歴史資料（目録・画像）をインターネット上で公開するようになりました。

かくして外務省、陸海軍、内務省などの機密文書が次々に公開され、日本の近現代史に関する研究が急速に進んでいます。日本敗戦当時には分からなかった当時の事情に関する機密文書も公開されたことで、日本の歴史教科書記述も大きく変更を迫られるようになっているのです。

しかも旧ソ連や欧米諸国の情報公開、それもスパイなどによる秘密工作に関する機密文書が公開されたことで、表向きの外交や軍事作戦だけでなく、原子力爆弾の技術を盗んだスパイ工作などが国際政治に大きな影響を与えたこともわかってきました。

そのため、秘密工作、いわゆるインテリジェンス活動が国際政治、外交にいかなる影響を与えるのかを考えるインテリジェンス・ヒストリーという学問が近年、イギリスを中心に広がっています。

アメリカのドナルド・トランプ共和党政権以来、中国人留学生による技術漏洩《ろうえい》が国際問題になってきているのも、機微技術情報を盗むスパイ工作が国際政治に大きな影響を与えることが学問的に立証されつつあるからなのです。

このように第二次世界大戦、近現代史をめぐる世界の動向は大きく変わってきているのです。こうした近現代史に関するグローバル・トレンドにあって、日本人だけが世界の動向から取り残され、旧態依然たる歴史観にとらわれているのです。

しかし、近現代史に関するグローバル・トレンドについての理解がなければ、国際社会の動きも正確に理解できず、同じ土俵に立つことができません。

そこで本書では、欧米の最新研究を紹介するだけでなく、国内外の政治家、軍人たちと話をしてきた体験も踏まえながら、これまでの【通説】が、いまやどのように【見直】されているのかについて簡潔にそのポイントを示し、欧米に通用する近現代史とは何かが分かるように構成しました。

国際社会でしたたかに生き抜いていきたいと思うならば、日本人はアップデートされた近現代史のとらえ方を身に付けなければならないのです。

目次

第四章 「強い日本派」と「弱い日本派」

第一章

冷戦終結と共に始まったヨーロッパの近現代史見直し

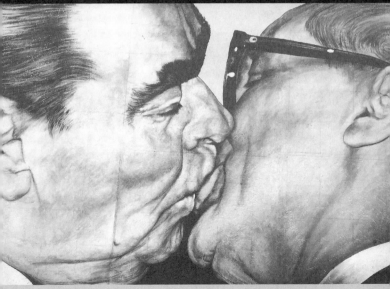

東ドイツの国家評議会議長であったエーリッヒ・ホーネッカと、ソ連最高指導者レオニード・ブレジネフの熱いキスと題するベルリンの壁の壁画

戦勝国のソ連も悪かった？

国際社会の動向を見るとき、重要なことは、グローバル・トレンド、日本語で言えば、世界の大勢を意識することが大切です。

意外かもしれませんが、近現代史の歴史認識についてもグローバル・トレンドがあるのです。

第二次世界大戦後、敗戦国となったドイツと日本が徹底的に糾弾されました。アメリカのハリウッド映画などを見ていると、憎らしい敵は常にナチス・ドイツであり、そのドイツと勇敢に戦ったアメリカやイギリス、フランス、そしてソ連を褒めたたえる物語が大半でした。

幸いなことに、ハリウッド映画で日本は、ナチス・ドイツほど、やり玉に挙げられることはありませんでしたが、それでも日本人はどちらかというと、残虐な軍国主義者として描かれてきました。よって主に日米両国のマスコミなどでは、「日本は過去、悪いことをした」と決めつけられてきました。

日本人の多くも、近現代史の話題に話が及ぶと、とにかく謝っておけばいいと考えてきました。

しかし二十数年前から、近現代史をめぐる国際社会の様相はかなり違ってきているのです。

この世界の大勢を正確に理解しておくことが重要なのですが、意外と報じられていません。

では、どのように近現代史が見直されているのかと言えば、ナチス・ドイツだけでなく、共産主義を掲げたソ連にも問題はなかったのか、という議論が急浮上しているのです。もちろん純然たるアカデミズム、学問の世界では、善悪だけで歴史を論じることができないことは理解されています。しかし国際政治の世界では、誰が敵で、誰が味方か、どこの国が善で、どこの国が悪か、という議論が主流となりがちです。

第二次世界大戦では、「アメリカ、イギリス、フランス、ソ連などの連合国」対「ドイツとイタリア、そして日本といった枢軸国」の構図となりました。そして後者の枢軸国側が敗北し、悪者になったわけです。

	善	悪
第二次世界大戦直後	アメリカ、イギリス、フランス、ソ連	ナチス・ドイツ、（イタリア、日本）
現在	アメリカ、イギリス、フランス	ナチス・ドイツ、ソ連

よって、ヨーロッパでは、ドイツは悪い国であり、戦勝国のソ連は良い国だということにされました。要するに、ナチス・ドイツという「悪」と戦ったソ連や、フランスのレジスタンスで奮闘した共産主義者たちは「英雄」だとみなされてきたのです。

ところが、ナチス・ドイツも悪いが、戦勝国とされたソ連はもっと悪かったのではないのか、という議論が起こっているのです。

きっかけはベルリンの壁の崩壊

そのきっかけとなったのは、一九八九年の、ドイツのベルリンの壁の崩壊です。ドイツの大都市ベルリンは戦後、アメリカ、イギリス、フランスとソ連によって分割管理され、その後、米ソ対立を受けて西ドイツと、東ドイツに分離されてしまい、ベルリンもアメリカなどの占領地域と、ソ連の占領地域とに分割され、その境界線に壁がつくられたのです（壁をつくったのは、ソ連側の東ドイツ政府です。東ドイツ側の住民たちが西ドイツ側に逃げようとしたので、それを阻止するためです）。

日本で言えば、敗戦後にアメリカとソ連が占領軍として進駐し、北海道と東北はソ連の占領地域、それ以外はアメリカの占領地域となった後、米ソの対立によって北海道と東北は、東日本として独立、関東以西は西日本としてそれぞれ独立し、東北と関東の県境には壁がつくられ、相互の行き来が禁止されたようなものです。

ベルリンの街にいきなり壁がつくられて往来が禁じられたことから、家族でありながら、会えなくなるという悲劇が生じました。

しかも東ドイツでは、秘密警察による監視が強まり、政府批判を口にすると、いきなり逮捕され、拷問を受けるというのが日常茶飯事となりました。

そのため、秘密警察に逮捕されて殺されるのは嫌だと、多くの東ドイツ市民が、西ドイツに亡命しようとして、このベルリンの壁を越えようとしました。しかし、彼らは東ドイ

ベルリンの壁記憶センター野外展示場。壁を越えようとして犠牲になった人々

ツ、つまり共産党の秘密警察によって射殺されています。この犠牲者を追悼する資料館が現在、ベルリンに建てられ、多くの市民がいまも追悼に訪れています。

このように、このベルリンの壁は、米ソによる東西対立の象徴であったのですが、一九八九年十一月に東ドイツ政府が西ドイツへの移動を容認したことから、ベルリン市民たちによってこの壁は壊されることになったのです。その後のベルリンを訪れた方はご存じでしょうが、ベルリンの壁の破片がお土産として売られています。

翌年、東西ドイツが再統一され、ソ連の影響下にあった中・東欧諸国も次々と共産主義国から自由主義国へと変わりました。ソ連邦も一九九一年に崩壊し、共産主義体制を放棄してロシアという国になりました。

このソ連邦の崩壊と、中・東欧諸国がソ連圏から離脱し、自由主義国になったことで、近現代史の見直しが始まったのです。

第二次世界大戦後、ソ連・共産圏に組み込まれていたポーランド、ハンガリー、チェコといった中・東欧諸国や、ソ連邦に併合されたリトアニア、ラトビア、エストニアらバルト三国が、共産党政権時代の圧政と、共産圏に組み込まれる原因となった第二次世界大戦とその後の、ソ連による侵略・占領を一斉に告発し始めたのです。

正確にいうと、ポーランドは第二次世界大戦当初、ナチス・ドイツとソ連から攻撃を受け、ドイツとソ連によって分割・占領されました。ところが独ソ開戦に伴い、ソ連はポーランドのドイツ占領地域にも攻撃を仕掛け、ドイツ敗北とともにポーランド全土がソ連の支配下に入りました。ナチス・ドイツに攻め込まれ、婦女暴行や理不尽な殺人、強制労働などで苦しめられてきたポーランドなどの人々は、ソ連軍がナチス・ドイツを破ってくれて、「これで助かった」と思ったものの、ソ連軍の暴行はナチス・ドイツよりも酷かった、というわけです。

リトアニア、ラトビア、エストニアらバルト三国も一九三九年からソ連の占領下に入り、一九四一年にナチス・ドイツによって占領され、一九四四年に再びソ連の占領下に入りました。

しかも戦争終結後、ソ連は、バルト三国をそのまま併合してしまいました。その他、ハンガリー、チェコなどに対しても軍事力を背景に共産党一党独裁政権を樹立させ、ソ連の属国として支配したのです。

ソ連による「戦争犯罪」と、戦後の「人権弾圧」を告発する戦争資料館

ソ連の影響下に入ったこれらの国々では、共産党による一党独裁体制が始まり、実に五十年近く共産党と秘密警察による人権弾圧に苦しめられてきました。

こうした戦勝国ソ連による「戦争犯罪」と、戦後の「人権弾圧」の実態を調査し、告発する戦争博物館を、一九九〇年代以降、中・東欧諸国は次々と建て始めたのです。

そこでロシア革命百年にあたる二〇一七年と二〇一九年にドイツ、チェコ、オーストリア、ポーランド、ハンガリー、バルト三国を回り、戦争博物館（28頁）を視察しました。

大半は公的機関である、これらの戦争博物館を見て回って気づいたことは、第二次世界大戦史に関する日本人の歴史認識には、致命的な誤解、盲点があるということでした。

それは、第二次世界大戦においてソ連は当初から「侵略国家」として非難されていた、という事実です。

一九三九年八月二十三日、ドイツとソ連が独ソ不可侵条約秘密議定書（モロトフ・リッベントロップ協定とも言う。以下「秘密議定書」と略）を結びました。この「秘密議定書」では、ポーランドの西はドイツ領、東はソ連領にすることや、バルト三国、フィンランドなどをソ連の支配下に置くことが決められていました。

その「秘密議定書」に基づいてドイツは九月一日、ポーランド西部に侵攻（次いでソ連も九月十七日にポーランド東部に侵攻）、それに反発した英仏による宣戦布告によって第二次世界大戦は始まったのです。

つまり第二次世界大戦は、ナチス・ドイツとソ連による秘密協定と、両国によるポーランド侵略から始まったのです。

ソ連軍によるポーランド将校虐殺事件を黙認した連合国

このソ連によるポーランド侵略で起こった悲劇の一つがカティンの森事件です。

一九四一年六月、ドイツは独ソ不可侵条約を破棄し、ソ連に侵攻しました。ポーランドを分割・占領していたドイツとソ連が戦争を開始した結果、ドイツの敵となったソ連はイギリスを始めとする連合国の「味方」になっていきます。

イギリスのチャーチルもアメリカのルーズヴェルトも当面の敵はヒトラー率いるドイツだと考え、ソ連と連携しようとしたのです。

このような状況の中で微妙な立場に置かれたのが、ロンドンに置かれていたポーランド亡命政府でした。そして一九四三年四月十三日、ベルリン放送がカティンで約四千人の

訪問した戦争博物館

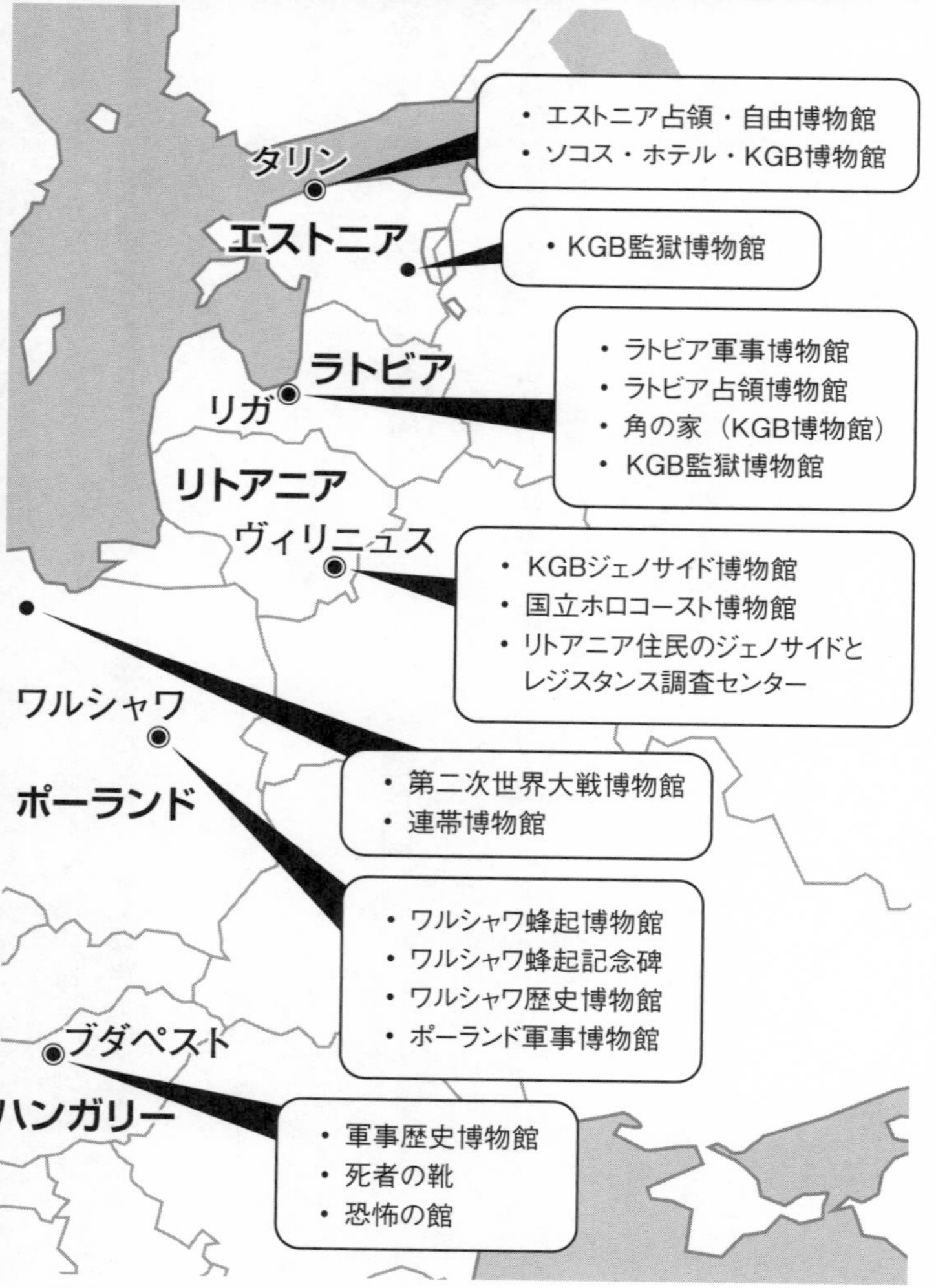

タリン
・エストニア占領・自由博物館
・ソコス・ホテル・KGB博物館
エストニア
・KGB監獄博物館
ラトビア
リガ
・ラトビア軍事博物館
・ラトビア占領博物館
・角の家（KGB博物館）
・KGB監獄博物館
リトアニア
ヴィリニュス
・KGBジェノサイド博物館
・国立ホロコースト博物館
・リトアニア住民のジェノサイドとレジスタンス調査センター
ワルシャワ
ポーランド
・第二次世界大戦博物館
・連帯博物館
・ワルシャワ蜂起博物館
・ワルシャワ蜂起記念碑
・ワルシャワ歴史博物館
・ポーランド軍事博物館
ブダペスト
ハンガリー
・軍事歴史博物館
・死者の靴
・恐怖の館

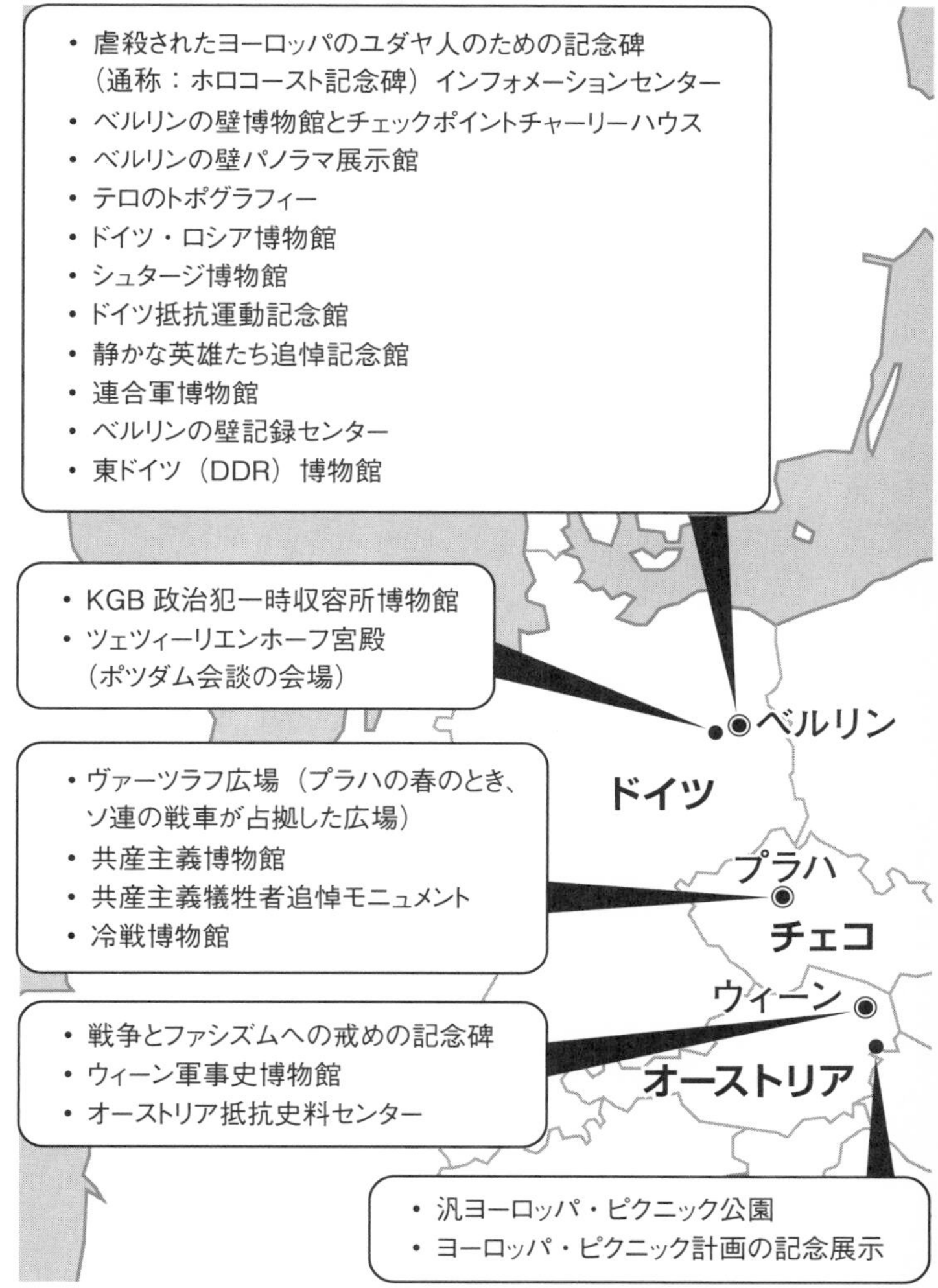
・虐殺されたヨーロッパのユダヤ人のための記念碑
（通称：ホロコースト記念碑）インフォメーションセンター
・ベルリンの壁博物館とチェックポイントチャーリーハウス
・ベルリンの壁パノラマ展示館
・テロのトポグラフィー
・ドイツ・ロシア博物館
・シュタージ博物館
・ドイツ抵抗運動記念館
・静かな英雄たち追悼記念館
・連合軍博物館
・ベルリンの壁記録センター
・東ドイツ（DDR）博物館
・KGB 政治犯一時収容所博物館
・ツェツィーリエンホーフ宮殿
（ポツダム会談の会場）
ベルリン
ドイツ
・ヴァーツラフ広場（プラハの春のとき、
ソ連の戦車が占拠した広場）
・共産主義博物館
・共産主義犠牲者追悼モニュメント
・冷戦博物館
プラハ
チェコ
ウィーン
・戦争とファシズムへの戒めの記念碑
・ウィーン軍事史博物館
・オーストリア抵抗史料センター
オーストリア
・汎ヨーロッパ・ピクニック公園
・ヨーロッパ・ピクニック計画の記念展示

ポーランド将校の死体を発見したと報じ、いわゆるカティンの森事件が発覚します。

ソ連側は「殺害はナチス・ドイツが行った」と声明するようポーランド亡命政府に要求しました。しかし、ポーランド亡命政府のヴワディスワフ・シコルスキ首相はこれを拒否し、ジュネーブの国際赤十字に解決を委ねます。ソ連はこれに反発し、同年四月二十五日付で駐ソ・ポーランド大使に外交断絶を伝える書簡を手渡しました。

アメリカもイギリスもカティンの森事件はソ連の犯行だと疑っていました。しかし両国はソ連との協力を優先させ、ポーランド亡命政府の意向は無視される結果となりました。

現在は、カティンの森事件はソ連の犯行だったことが明らかになっています。冷戦終結後の一九九〇年、ソ連国営のタス通信は「ソ連政府はスターリンの犯罪の一つであるカティンの森事件について深い遺憾の意を示す」と報じました。英米両国は戦時中、ソ連との関係を重視して、ソ連軍によるポーランド将校虐殺事件を黙認した、ということです。

世界的に著名なポーランドの映画監督アンジェイ・ワイダが製作した『カティンの森』（二〇〇七年公開）という作品があります。自分の父親がカティンの森でソ連兵によって殺された史実を基にした映画です。

私はこの映画を駐日ポーランド大使館での試写会で観ました。

岩波書店の国語辞典『広辞苑』には、《「カティン事件」→「第二次大戦中の一九四〇年にソ連が捕虜としたポーランド軍将校をロシアのスモレンスク州カティンの森で大量殺害した事件。ソ連政府は九〇年公式に責任を認め謝罪。」》と記されていますが、こんな数行程度の記述では、事件の悲惨さと重大さは伝わらないでしょう。

ワルシャワ中心部の王宮広場の一角にはカティンの森の犠牲者慰霊碑が建立されています。ポーランドにとって実に大きな事件だったことがわかります。

カティンの森で殺されたポーランド将校たちは、ソ連軍に正式に降伏し、収容所に入れられていた人たちでした。ゲリラ的な戦闘行

カティンの森の犠牲者慰霊碑（ポーランド）

為といった国際法違反は犯しておらず、戦時国際法によって身体の安全などは保護されるべきでした。戦時国際法では、捕虜の虐待や殺害は禁止されているのです。

ソ連からすれば、ポーランドは、他の中欧諸国と異なって平坦地が多く小麦などが沢山収穫できるという、戦略的な観点からもどうしても支配下に置きたい地域でした。もともとポーランドの多くの地が、帝政ロシアの支配下にあったという歴史的経緯もあります。

ソ連のそうした思惑にとって邪魔なのは、いわゆる民族主義的な勢力を構成するポーランド人たちでした。カティンの森で殺害された高級将校たちはそうした勢力を代表する人たちだったのです。

事件当時、ソ連内収容所には一万数千人のポーランド人将校が戦争捕虜として抑留されていました。ソ連は、捕虜にした彼ら一万数千人を森の中に連れ込み、一人一人銃殺しました。許しがたい戦争犯罪です。

このカティンの森事件については、ソ連がその事実を認めるのは冷戦終結後の一九九〇年、事件後半世紀を経てからのことでした。

一九四三年四月　カティンの森事件

通説

ドイツのベルリン放送が一九四三年四月十三日、約四千人のポーランド将校の射殺死体をカティンの森で発見したと発表したが、その事件は、ナチス・ドイツが起こしたものだとされた

一九四〇年四月頃のソ連の犯行だとする発表に対してソ連は直ちに反論し、ナチス・ドイツが自らの犯行を隠して反ソ宣伝に利用していると主張した。ポーランド亡命政府が国際赤十字に調査を依頼したことにソ連は反発し、戦後のポーランドにおいては親ソ的政府の下、カティンの森事件に触れることはタブーとされた。

見直し

アメリカもイギリスもソ連の犯行だと疑っていたが、ソ連との関係を重視してポーランド将校虐殺事件を黙認してきた。ソ連崩壊後、ようやくソ連の犯行であることが明確になった

冷戦終結後の一九九〇年、ソ連国営のタス通信は「ソ連政府はスターリンの犯罪の一つであるカティンの森事件について深い遺憾の意を示す」と報じた。
カティンの森事件で殺されたポーランド将校たちは、ソ連軍に正式に降伏して収容所に入れられていた、戦時国際法によって保護されるべき人たちだった。

こうした経緯があることから、第二次世界大戦勃発から八十年目の二〇一九年九月十七日、ポーランドの駐日大使館のポーランド広報文化センターの公式フェイスブックは、次のような記事を公開しました。

《ポーランド広報文化センター Instytut Polski w Tokio
2019年9月17日 JP／PL
1939～1945年の間、ポーランドの国土の一部は、ソ連によって占領されていました。
・数万人のポーランド人が刑務所や強制労働収容所に送られました。しばしば虐待を受けました。
・1940年以来、大量のポーランド人がソ連奥地に移送されました。ソ連は、シベリアやカザフスタンに、32万人のポーランド国民を移送しました。
•内務人民委員部秘密警察は、反ソ連的立場に立つと見なされた人を迫害しました。
•ポーランド人は強制収容所（ラーゲリ）に送られるか、家から数千キロ離れた場所に、生活条件も手段も奪われて、集団居住を命じられました。》

ソ連は戦勝国の一員であり、あたかも正義の味方であるかのように報じられてきましたが、それは間違いだと、正面から反論しているわけです。

ポーランドは中・東欧諸国の大国であり、その影響力はかなりのものです。中・東欧諸国相手のビジネスも増えてきているだけに、その動向には関心を払っておくべきです。

立場をころころと変えるソ連

一九三九年当時に戻りましょう。

ポーランドに攻め込んだソ連は次いで、バルト三国に対してソ連軍の駐留を要求し、十一月三十日からはフィンランド侵略（冬戦争）を開始しました。この侵略によってソ連は国際連盟から除名処分となっています。

ソ連は、第二次世界大戦のきっかけをつくった「侵略国家」であり、国連からも除名処分になっているのです（日本は満洲事変をきっかけに国連を「脱退」していますが、ソ連は「除名処分」です）。

ところが、ナチス・ドイツが一九四一年六月二十二日、独ソ不可侵条約を破棄し、対ソ侵攻作戦（バルバロッサ作戦）を開始したことから、「敵の敵は味方」の論理で英米両国は、ナチス・ドイツを打倒するために、ソ連と手を結ぶようになっていきます。

つまり戦争の構図が「イギリス、フランス、ポーランド」対「ドイツ、ソ連」だったのが、「イギリス、フランス、ソ連」対「ドイツ」へと変わってしまったのです。

一九四一年六月　ドイツが独ソ不可侵条約を破棄

通説

ドイツによる独ソ不可侵条約の破棄は、ソ連と英米との協調を深める結果となった

一九四一年六月、ドイツは独ソ不可侵条約を無視してイタリア、ルーマニア、フィンランドとともにソ連を奇襲し、独ソ戦が開始された。ドイツ軍はモスクワにせまるが、多大な被害を出しながらもソ連は押し返す。これを機としてソ連はイギリスと同盟を結び、一九四三年にはイギリス、そしてアメリカとの協調を深めるためにコミンテルンを解散した。

見直し

ソ連が正義の側だったのか。改めてソ連の戦争責任が問われている

英米両国はナチス・ドイツと対抗するためにソ連と手を結び、同盟国として、ソ連を正義の側だと見なした。

東西冷戦終結後、ソ連によって占領された中・東欧諸国は改めてソ連の戦争責任を追及するようになった。

戦前から戦中にかけて、ソ連は、立場をころころと変えてきました。

①一九三五年の時点では、ナチス・ドイツに反対でした。

スターリンは「ドイツのナチズムに最も反対しているのは我々だ」と宣伝していました。現にソ連主導の国際共産主義ネットワーク組織であるコミンテルンは一九三五年に開催された第七回大会において、次のような方針を打ち出しました。

「ドイツにおけるナチスをはじめとするファシズムの台頭とアジアにおける日本軍国主義の中国侵略に対しては、共産党が単独で対決するのではなく、社会党や社会民主党、自由主義者、知識人、宗教家などあらゆる勢力が協力する反ファシズム人民統一戦線を結成して相対すべきだ」

ナチス・ドイツと日本こそが最大の敵だと、世界の共産主義者たちに呼びかけたのです。

②ところが、それからたった四年後の一九三九年八月二十三日に、ナチス・ドイツと独ソ不可侵条約を結びます。

「ドイツとソ連は平和を守ろうとしているのに、英仏が帝国主義戦争を起こして世界平和を脅かしている」と主張し、立場を百八十度変えたのです。

しかも前述したように、この条約には、ポーランドの西はドイツ領、東はソ連領とすること、バルト三国、フィンランドなどはソ連の支配下に置くことを取り決めた秘密議定書がついていました。そして、この条約に基づいてドイツはポーランドに攻め込み、それを契機として英仏両国がドイツに宣戦布告して第二次世界大戦が始まり、ソ連はその直後にポーランドに進駐して、ポーランド領土をドイツと山分けしたわけです。

③その二年後の一九四一年六月二十二日、ナチス・ドイツは独ソ不可侵条約を破棄して、バルバロッサ作戦と呼ばれている対ソ侵攻作戦を開始しました。

ソ連は再びドイツを非難し、英米両国は、「敵の敵は味方」の論理で、ナチス・ドイツを打倒するためにソ連と手を結ぶようになっていきます。

このようにソ連は、たった六年の間にころころと立場を変えました。

一九三五年の第七回コミンテルン大会では「ドイツと日本こそが主敵である」と宣言し、その四年後の一九三九年八月の独ソ不可侵条約締結においては英仏両国を非難する立場をとり、その二年後の一九四一年六月には、独ソ不可侵条約を破棄して侵攻してきたドイツと戦うことになり、ドイツが敵だと再び非難しました。

ナチス・ドイツの背信行為のせいもありますが、わずか六年の間に、「ドイツが敵だ」「そうではなく英仏が敵だ」「やはりドイツが敵だ」と変わるのです。

しかし、こうした変わり身の早さこそが戦後、戦勝国としてソ連が正義の側にあり続けることになった大きな理由です。ソ連、ロシアというのは、こうやって国際的な立場をころころと変え、同盟国も平気で裏切る国であることは覚えておいた方がいいでしょう。

一方、ドイツからの攻撃に苦しんでいたイギリスは、一九四一年七月にソ連と軍事同盟を結び、アメリカも軍事物資の援助を決めました。ナチス・ドイツを打倒するために、英米両国は、ポーランドなどを侵略したソ連と手を結ぶようになっていきます。当時、ロンドンにはポーランドの亡命政府があり、「ポーランドを侵略したソ連と手を結ぶとは何事か」と抗議をしましたが、相手にされませんでした。

最終的に英米諸国はソ連を同盟国として扱い、正義の側だと見なし、ポーランドを見捨てたのです。そもそも第二次世界大戦は、ドイツから侵略されたポーランドを助けるために始まった戦争だったはずです（実際は、ドイツに対して英仏は宣戦布告をしたものの、積極的には戦争をしていません）。

国際社会というのは裏切りと妥協の歴史であり、信義よりも力関係がものをいうことがよくわかります。

ドイツとソ連から踏みにじられたポーランド

このように、ころころと国際的な立場を変えるソ連に翻弄されたのが、ポーランドでした。その悲劇の一つが、ワルシャワ蜂起です。

一九四四年八月　ワルシャワ蜂起

通説

ワルシャワ蜂起は二カ月にわたる戦闘の結果、ドイツ軍により鎮圧された

ナチス・ドイツに占領されていたポーランドの首都ワルシャワでは、一九四四年八月、ポーランドの抵抗組織がワルシャワ市民の参加のもとにドイツ支配からの解放を求めて一斉に蜂起したが、ドイツ軍に弾圧され、失敗した。

見直し

ポーランドの抵抗組織（レジスタンス）はソ連軍により見殺しにされた

ナチス・ドイツによって占領されていたポーランドの首都ワルシャワでは、ソ連軍がナチス・ドイツ軍を攻撃してくれるという期待から一九四四年八月、ポーランドのレジスタンスが一斉に蜂起したが、ワルシャワ郊外にまで迫っていたソ連軍は、ポーランドのレジスタンスを助けずに、見殺しにした。しかもレジスタンスを支援しようとした米英の活動にも協力しなかった。そのため、ワルシャワはドイツによって破壊され、二十万人もの犠牲者を出すことになった。ワルシャワ蜂起の失敗は、ソ連が見殺しにしたという側面もあった。

一九四四年の時点でヨーロッパ戦線は連合国側に有利に運び、同年六月には、ソ連軍によるワルシャワ「解放」が目前となっていました。ワルシャワは当時、ナチス・ドイツに占領され、多くのポーランド市民が政治犯として逮捕、殺害されていたのです。ワルシャワ在住のユダヤ人の多くがアウシュビッツなどに送られて殺害されていたため、ワルシャワでは、ナチスに対するレジスタンス運動が盛んになっていました。

一九四四年七月二十九日、ソ連のモスクワ放送が、ポーランド語でワルシャワ市民に決起を促す声明を報じます。

同月三十一日の夕方、ポーランド亡命政府軍ワルシャワ地域司令官アントニ・フルシチェルは、赤軍つまりソ連軍がワルシャワ東端に達していること、ヴィスワ川右岸のドイツ軍の橋頭堡《きょうとうほ》が破壊されていることを確認するとともにソ連軍と呼応して武装蜂起することを決断しました。

八月一日夕方、レジスタンスは、ワルシャワ蜂起を実行します。短期間でドイツ軍からワルシャワを解放し、進駐しつつあるソ連軍を「国の主人」たる自分たちが迎えることでソ連の属国になることを避けようという計画でした。

しかしこのワルシャワ蜂起は、戦闘が二カ月に及んでしまい、二十万人余りの死者を出し、ドイツ軍の勝利に終わります。ソ連軍が、蜂起三日目からワルシャワ周辺での作戦を停止し、ナチス・ドイツによるレジスタンス攻撃を黙認したからです。レジスタンスの反ソ色を知るスターリンがワルシャワ市民を見殺しにしたと言われています。

ワルシャワの蜂起軍は地下水道を利用して活動をしていました。それを知ったドイツは戦闘終了後、ワルシャワの街を徹底的に破壊し、更地にしてしまいます。

二〇一八年に私はワルシャワを訪れました。地元ガイドによれば、「ワルシャワ蜂起の結果、九十万人の人口だったワルシャワの人口は千人に減った」といいます。

ワルシャワ市内には「ワルシャワ蜂起博物館」が建てられています。地元の小学生、中学生たちが多数訪れる博物館です。地元のガイドは「故郷のワルシャワを占領されたのは許せない。故郷の自由を守ろうと立ち上がった人々の愛国心に敬意を払うことが大切だと、子供たちには教えている。国のために尽くした人、頑張った人を讃え、誇りに思うことを伝えようとしている」と語ります。

ワルシャワ蜂起に踏み切ったレジスタンスに対して、英米軍は、蜂起から約二週間後の八月十三日、イタリアの前線基地から救援物資を運ぶ飛行機を出しました。しかし、ワルシャワまでは地理的に遠く救援物資を十分に運べないことから十四日、ルーズヴェルト大統領が、ワルシャワ近くにできていたソ連軍の飛行場の使用許可を求める電信を送ります。しかし、ソ連は飛行場の使用を認めませんでした。ワルシャワ蜂起博物館には、アメリカの救援飛行機が展示されていて、その側面には、ドイツをやっつける鷹が描かれています。鷹はアメリカの国章です。

ナチス・ドイツに蹂躙され、ソ連から見捨てられた経緯を詳しく説明する地元ガイドは「ワルシャワ全体が墓なのです」「ワルシャワはドイツ

ワルシャワ蜂起記念碑（ポーランド）

によって物理的に破壊され、ソ連によって精神的に破壊された。精神的破壊の方が後世まで影響する」と語ります。

　ワルシャワ蜂起の敗北によってロンドンにあったポーランド亡命政府は、連合国における支持を失っていくことになりました。代わってソ連によって支持された、ポーランド共産党員たちによるルブリン暫定政府がワルシャワで活動を開始します。

　そしてワルシャワ蜂起から半年後、一九四五年二月のヤルタ会談で米英ソ三カ国の首脳は、亡命政府を見捨て、ポーランドをソ連の影響下に置くことに合意するのです。

　その後、ポーランドは実に四十数年間も、ソ連の衛星国、つまり属国として支配され、ソ連と共

第二次世界大戦博物館に展示されているソ連のプロパガンダ・ポスター（ポーランド）

産党の秘密警察による人権弾圧と貧困に苦しむことになります。

ポーランドがソ連支配から脱したのは、ロシア連邦軍（旧ソ連軍）がポーランドから撤退した一九九三年のことです。

ポーランドは現在、ナチス・ドイツとソ連によっていかにひどい仕打ちを受けてきたのか、各地に戦争博物館を建設し、自国民にその悲劇の歴史を懸命に伝えようとしています。ソ連こそ侵略国家であったのだ。ポーランドを始めとする中欧、東欧の国々が一斉にこう告発を始めたことを是非とも知っておいてください。

第二章

独ソの戦争責任追及から始まった東欧「民主」革命

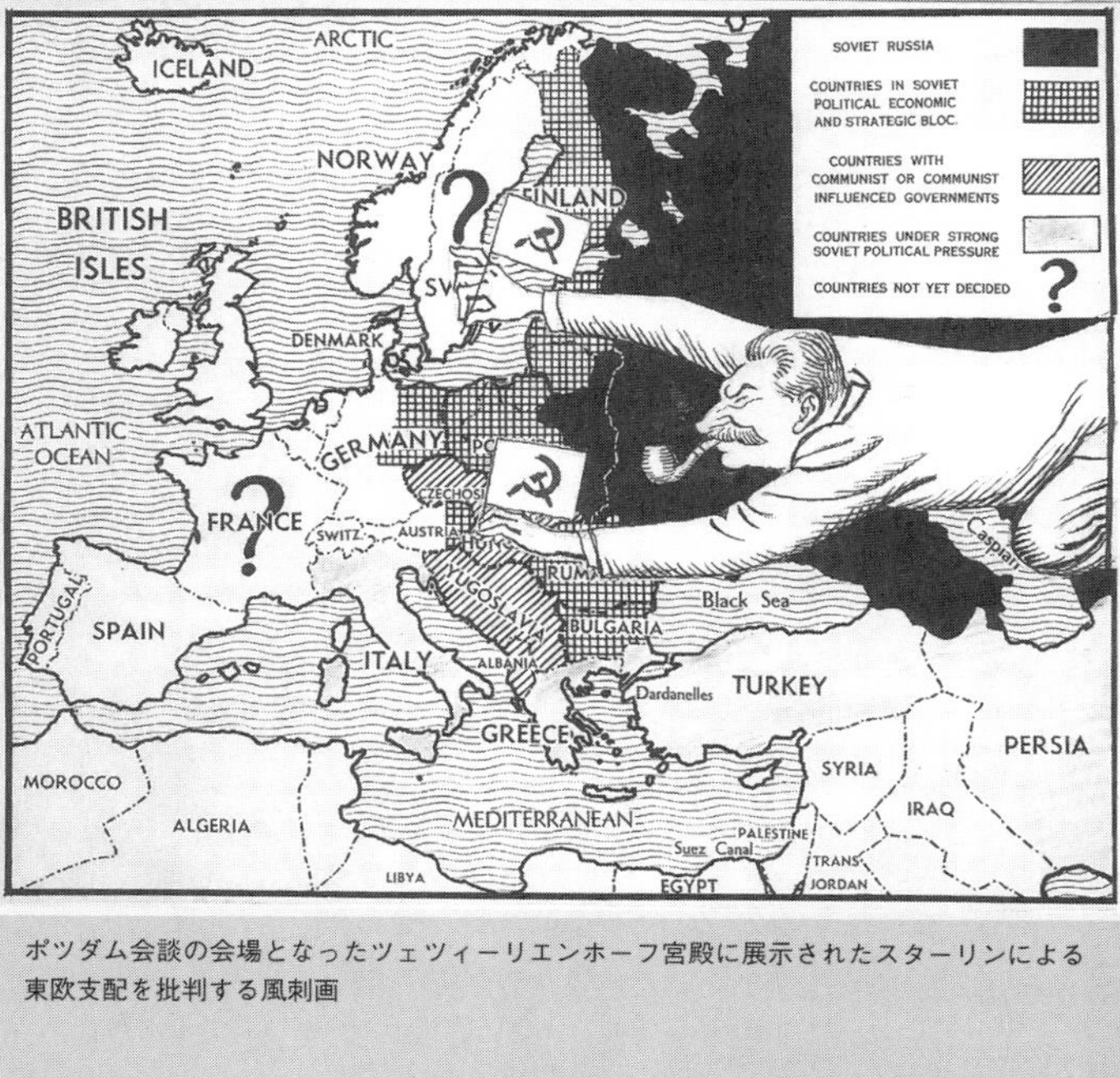

ポツダム会談の会場となったツェツィーリエンホーフ宮殿に展示されたスターリンによる東欧支配を批判する風刺画

一九五六年のハンガリー革命と独立戦争

一九九一年のソ連邦解体に伴い、民主主義国家として再出発した中・東欧諸国は、ソ連の侵略と占領によって受けた被害を忘れませんでした。

なにしろ、自分の父親、母親、兄弟をソ連軍と、その後の共産党の秘密警察によって殺されたり、拷問されたりしているわけですから、その恨みが簡単に消えるはずもありません。

二〇一八年にポーランドを取材で訪れた際のことです。一九七〇年代後半、共産党政権に反対して民主化運動をしていた父親がある日、突然、警察に逮捕され、死体で発見されたという体験を持つ通訳の女性と会ったことがあります。彼女は、父親の無念を受け継ぐためにポーランドの民主化運動に携わり、海外情報に比較的容易にアクセスできる外国人向けのガイドになったと言っていました。

彼女は母国のポーランド語の他、ドイツ語、英語、フランス語、日本語とラテン語ができる、と言っていました。「なぜラテン語を」という質問に対して、「共産党時代のポーランドは、外国人観光客にも監視がついていて、ガイドといえども自由に話ができないが、ラテン語で会話をすれば、その監視に悟られずに外国の要人たちと情報交換ができるからだ」と答えてくれました。

ポーランドを民主化し、ソ連から独立するために、それだけの数の語学を習得し、海外の情報を入手できる力を得ることが必要だったわけです。

人生をかけて祖国の民主化、独立を取り戻そうとしてきた彼ら、彼女らにとって、独立を取り戻したことはその戦いの終わりを意味したわけではありませんでした。

いつまた独立を失い、民主主義が破壊されるか分からないことを前提に、ソ連による侵略と、共産党政権による占領・圧政に抵抗した歴史を次の世代に伝えることが、自国の自由と民主化を守る原動力になると考えているのです。

では、その苦難と抵抗の歴史とはどのようなものか、ハンガリーを例に示しましょう。

第一次世界大戦のオーストリア帝国の敗戦に伴い、一九二〇年に成立したハンガリー王国は、台頭するナチス・ドイツと連携して領土「回復」を目指し、第二次世界大戦当初は、日独伊の枢軸国側でした。

ところがドイツが劣勢となり、一九四四年にソ連軍が国境に迫ったことから、連合国側と停戦を結ぼうとします。

しかし親独派の矢十字党（ナチスと同じような国家社会主義政党）が政権を握り、ハンガリーは、ナチス・ドイツの影響下に入ったのです。

この矢十字党は、反ユダヤの全体主義団体で、ブダペストのユダヤ人を、暴行と虐殺によって恐怖のどん底に突き落としました。八千人近いユダヤ人がハンガリーを追い出され、収容所が待ち受けるオーストリアの国境まで、死の行進をさせられました。そのうち約二千人が、ドナウ川の堤防で無惨に射殺されています。

そのとき、犠牲者たちは靴を脱ぎ、自分の手で、射撃される場所からどけておくように強制されました。なぜなら当時、靴は高価な

ドナウ川歩道に並ぶ死者の靴（ハンガリー）

日用品だったからです。二〇〇五年に「死者の靴」と題したモニュメントがドナウ川の岸辺に作られ、次のような碑文が刻まれています。

「一九四四〜四五年、矢十字党によってドナウ川に撃ち落とされた犠牲者たちに捧ぐ」

その後、一九四五年四月、ドイツ・ハンガリー軍は赤軍（ソ連軍）に敗北し、ハンガリーはソ連の占領下に入ってしまいます。そして大戦直後に行われた国民選挙では独立小農業者党が大勝、王政は廃止され、ハンガリー第二共和国が成立しました。

その二年後の一九四七年、ソ連軍を後盾とするハンガリー共産党がクーデターを起こし、一九四九年、ハンガリーは、ソ連の衛星国（ソ連の属国という意味）になりました。

ソ連の衛星国になったハンガリーでは、共産党の秘密警察による親独派狩りが行われ、七千人以上の人たちが一方的な戦犯裁判を受け、処罰されました。日本も敗戦後、極東国際軍事裁判をはじめとする「戦争犯罪人」裁判によって約一千人が処罰されましたが、ハンガリーはその七倍もの人々が処罰されたことになります。

その後も、ハンガリーでは、物資不足と苛酷な人権弾圧を強行するソ連・共産党支配への反発から騒乱が続きます。

一九五三年にソ連本国でスターリンが死に、代わってフルシチョフが書記長（つまりソ連の最高権力者）に就任すると、ソ連本国では「雪解け」と言って、政治的自由が容認されるのではないかという期待が高まります。

そのためハンガリーでも改革派が台頭し、ジャーナリストや学生が民主化（ソ連・共産圏からの離脱・独立）運動をひそかに始めます。

余談ですが、ヨーロッパでは、民主化とは本来、共産党一党独裁、ソ連による支配から脱却することを意味します。共産党は、民主主義を認めない政治イデオロギーだからです。

言い換えれば、共産党と組むことは、民主主義を否定する側になることを意味するのですが、日本では、こうした「常識」がまったく理解されていません。

恐怖の館に展示されたソ連の戦車とその犠牲者たち（ハンガリー）

そして一九五六年十月二十三日、いわゆるハンガリー動乱（ハンガリー側は現在「一九五六年ハンガリー革命と独立戦争」と呼んでいる）が始まったのです。ハンガリー市民が武器を手に共産党政権の圧政に対して反旗を翻し、多くの政府関係施設や区域を占拠しました。

ソ連のフルシチョフ書記長ならば、多少の民主化は黙認するのではないかという見通しもあってのことでした。

ところがフルシチョフはこの蜂起を「反革命」「西側資本主義国による謀略だ」と決めつけ、十月二十三日と十一月一日の二回、千両以上の戦車を中心としたソ連軍を派遣し、蜂起を鎮圧してしまったのです。

その過程で数千人の市民が殺害され、二十万人以上の人々が国外へ逃亡しました。

以後、ハンガリーでは、この事件について触れることは禁じられましたが、一九八九年に共産圏から離脱し、現在のハンガリー第三共和国を樹立した際に、この十月二十三日を祝日に制定しています。

ドイツ映画『僕たちは希望という名の列車に乗った』の意味すること

第二次世界大戦後のこうしたソ連・共産党の圧政に抵抗し、自国の自由と独立を求めた中・東欧諸国の戦いに対して、西側の知識人、特にリベラル派の知識人たちは冷淡でした。

リベラル派の知識人たちは、ナチス・ドイツと戦ったソ連を高く評価していて、ソ連による「人権弾圧」「民主化弾圧」を見て見ぬふりしたのです。実は日本でも同じ傾向が強く、リベラル派の野党の方が共産党に対して好意的であり、北朝鮮や中国共産党との「友好」を重視する傾向があります。

ところが、中・東欧諸国の告発によってソ連の圧政の実態が知られてくるにつれ、ソ連・共産党という全体主義国家の圧政と戦い、自由を求めた人々に対してあまりにも無関心だったのではなかったか——。そうした反省が、ヨーロッパでも語られるようになってきているのです。

二〇一九年二月、バルト三国を訪問し、各地に建てられている戦争博物館を見て回りました。帰りの飛行機はポーランド航空でした。

二〇一八年はポーランド独立回復百年にあたり、この百年の近現代史に関わる映画がこの飛行機でも無料で公開されていたので、そのリストを見ていると、『ザ・サイレント・

レボリューション（The Silent Revolution）』というドイツ映画がありました。

二〇一八年、ドイツで公開され、第六十八回ドイツ映画賞作品賞・脚本賞・撮影賞・衣裳賞にノミネートされたもので、観たところ、実に面白かったです。日本でも二〇一九年五月中旬から『僕たちは希望という名の列車に乗った』という邦題で一般公開されましたが、この映画の主題が「ハンガリー革命」なのです。

大まかな物語はこうです。

一九五六年、東ドイツの高校に通う十八歳の青年、テオとクルトは、列車に乗って訪れた西ベルリンの映画館でハンガリーの民衆蜂起を伝えるニュース映像を見てしまいます。この時点では、ベルリンの壁はなく、東ドイツ国民も通行証さえあれば、比較的自由に西ベルリンを訪れることができたのです。

映画館で「ソ連の支配に反発したハンガリーで民衆が蜂起、数千人が死亡した」と聞いた二人は高校の教室で、「ハンガリーのために黙祷しよう、死んだ同志のために」と級友たちに呼びかけて、授業中に二分間の黙祷を実行します。

だが、その黙祷は、ソ連の影響下に置かれた東ドイツでは「社会主義国家への反逆」とみなされ、学校当局ばかりか、政府までが調査に乗り出しました。そして黙祷に参加した生徒たちは校長室に個別に呼び出され、一週間以内に首謀者を告げるよう宣告されたのです。宣告しなければ、生徒たちは落第となり、大学進学を阻止され、落伍者として生きていくことになります。

仲間を密告してエリートの道に行くのか、それとも落伍者になるのか。共産党政権に選択を突き付けられ、苦悩する若者たち。そしてその何人かは故郷を捨て、親と別れ、外国に亡命する道を選びます。ソ連・共産党の圧政と戦うことは、それだけの覚悟と犠牲を求められたのです。

実話を基にしたこの映画は、ソ連・共産党の圧政と戦ってきた中・東欧諸国の人々への敬意と、その戦いを十分に支えてこなかった西側諸国の痛苦な反省を描いたものです。

そして、その「反省」の中には、第二次世界大戦後、ポーランドやハンガリーなどの中・東欧諸国がソ連の支配下に入ることを「容認」してしまったことへの反省も含まれているのです。

バルト三国の「人間の鎖」運動

そのことに気づかされたのは、二〇一九年二月、取材に訪れたバルト三国においてでした。バルト三国は、ロシアの隣にある小国ですが、日本外務省は重視しており、次のように解説しています。

《「バルト三国」とはバルト海沿岸に並ぶエストニア、ラトビア、リトアニアの3つの国の総称です。3か国とも首都の旧市街区域が世界遺産に指定されており、国をあげての歌と踊りの祭典が開催されるなどの共通点もありますが、宗教、言語、通貨などの面で相違点も少なくありません。近代以前はそれぞれ独自の歴史を歩んでいましたが、18世紀には次々と帝政ロシアの支配下となりました。ロシア革命後の1918年に各国そろって独立を果たしますが、1940年に今度はソ連に併合されてしまいます。それから半世紀後に東欧革命が勃発。1991年に再びバルト三国は独立を果たしました。そのニュースは世界を駆けめぐり、ソ連崩壊の重要な契機となりました。現在は3か国とも北大西洋条約機構（NATO）、欧州連合（EU）へ加盟し、ロシアとも隣国として政治・経済両面で深い結びつきを持っています。》（外務省「わかる！国際情勢　Vol.80　バルト三国と日本」）

前述したように、第二次世界大戦はドイツとソ連によるポーランド侵略から始まりました。そして、ソ連はポーランドの東半分を占領したのち、バルト三国とフィンランドへの侵略を開始します。

バルト三国は人口百万から三百万と小さな国々で、第一次世界大戦を契機に独立しましたが、一九四〇年にソ連に侵略・占領され、多くの人々がシベリア送りになりました。一九四一年六月、今度はナチス・ドイツに侵略・占領され、ここにいた多くのユダヤ人たちが殺害されました。さらに一九四四年に再度、ソ連に占領され、レジスタンス運動を起こしますが、ソ連軍によって苛酷な弾圧を受け、そのままソ連邦に併合されてしまいます。

今回の取材で、リトアニアの首都ヴィリニュスを訪れたときのことです。地元の女性ガイドがまず案内してくれたのが、カトリック教会の大聖堂でした。リトアニアは熱心なカトリックの国です。

この大聖堂の前の広場にある「足形」モニュメントを指差し、誇らしげにこう説明したのです。

「一九八九年八月二十三日、ソ連の支配下にあったバルト三国は、独立の意思を国際社会にアピールするため、人間の鎖というデモ活動を実施しました。約二百万人が参加し、六百キロ以上の鎖をつくったが、その起点がこなのです」

このバルト三国による「人間の鎖」運動から一連の東欧革命と、その後のソ連邦の解体が始まったわけです。

では、一九八九年八月二十三日とはいかなる日か。独ソ不可侵協定と秘密議定書締結五十年の日なのです。つまりバルト三国が、ソ連のスターリンとナチス・ドイツのヒトラーの戦争責任を追及することから東欧革命は始

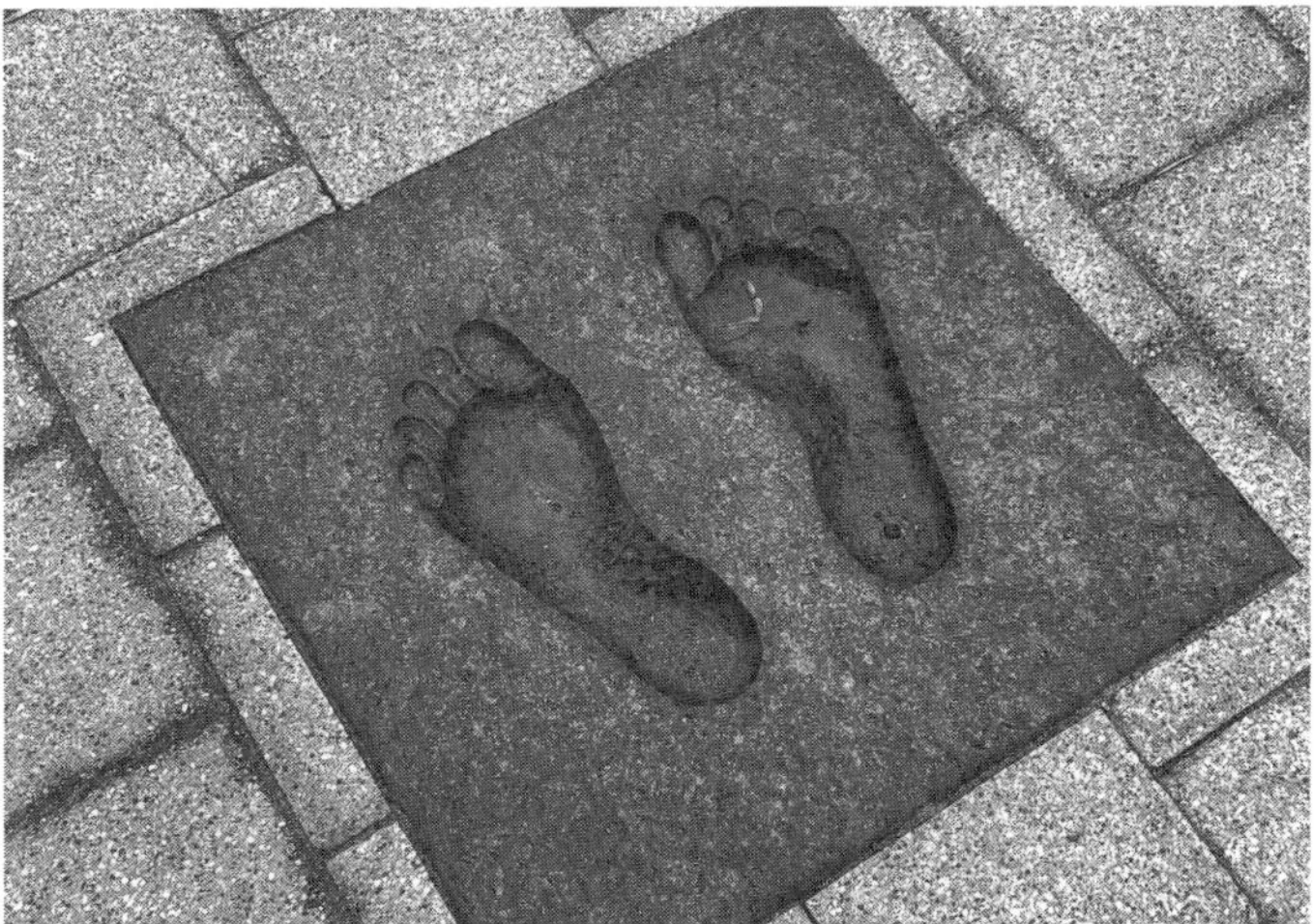

カトリック教会大聖堂にある「足形」のモニュメント（リトアニア）

まったのです。

「この大聖堂が（人間の鎖の）起点となったのは理由があるのか」と質問すると、地元ガイドは、別の一角を指差し、こう説明したのです。

「この印のあるところで三回廻って願い事をすると、聖母マリアが望みを叶えてくれるという言い伝えがあります。そこでソ連併合時代、多くのリトアニア人がここで三回廻って、ソ連邦の解体とリトアニアの独立回復を祈ったのです」

そこで私もこの上で三回廻り、日本近隣の全体主義国家の解体と日本の平和を祈りまし

聖母マリアが望みを叶えてくれるといわれる印と著者（リトアニア）

た。

このヴィリニュスには、ソ連の秘密警察KGB本部跡に「KGBジェノサイド博物館」が建てられていて、観光名所になっています。ジェノサイドというと、ドイツによるユダヤ人虐殺を思い起こしますが、リトアニアにとっては何よりもソ連の秘密警察による大量虐殺を意味するわけです。

この博物館の壁には、ソ連による人権弾圧の犠牲者の写真と経歴が掲載されていて、ソ連の秘密警察によって殺された犠牲者慰霊碑には、真新しい花束が捧げられていました。遺族たちが頻繁に訪れているのです。

この博物館を運営する「リトアニアにおけるジェノサイドとレジスタンス調査セン

KGBジェノサイド博物館の壁面（リトアニア）

ター」も訪問しましたが、ナチス・ドイツによるユダヤ人虐殺だけでなく、ソ連によるリトアニア人虐殺と抵抗運動に関する歴史を懸命に調査し、関連の資料を収集しているといいます。

「日本から来た」と伝えると、英語の書籍やパンフレットを次々と見せてくれたので、数冊購入しました。いずれも第二次世界大戦中だけでなく、戦後も続いたソ連に対するリトアニアのレジスタンス運動と、それを弾圧するソ連の苛酷さを描いたもので、日本ではほとんど知られていない史実がそこには示されていました。

日本も戦後、シベリア抑留に代表されるように苛酷な人権弾圧を受けましたが、そうした苦難の歴史を日本とバルト三国は共有しているのです。

ヤルタ会談でソ連の侵略を容認したルーズヴェルト

一九九一年にソ連邦から離脱し、独立を取り戻したバルト三国はその後も、ソ連・スターリンの戦争責任追及を止めませんでした。各地にソ連・スターリンの戦争犯罪を告発する博物館を建設し、その実態を克明に記録し、語り継ごうとしているのです。

例えば、エストニアの古都タルトゥに建てられているKGB監獄博物館（KGB Prison

Cells）の売店で購入した、歴史の記憶に関するエストニア研究所編『ソ連化と暴力（Sovietisation and Violence: The Case of Estonia)』（二〇一八年発行、未邦訳）にはこう書かれています。

《バルト諸国で政治的逮捕が最も多くなったのは一九四五年のソ連による再占領以降のことであり、大規模な強制移住が行われたのは、一九四八～一九四九年（リトアニア）および一九四九年（エストニアとラトビア）のことだった。

一九四九年三月の強制移住の際には、もののの数日のうちに二万人以上の人々がエストニアからシベリアに送られたが、さらに

KGB監獄博物館内（エストニア）

一万人が移住させられる予定だった。》（拙訳）

こうした悲劇は、一九三九年の独ソ「秘密議定書」に基づいてソ連から侵略されたことに始まったのですが、バルト三国の追及はそれだけに留まりません。ソ連の侵略を容認した英米諸国の責任をも追及しているのです。

ラトビアの首都リガには、ラトビア占領博物館があり、第二次世界大戦中にソ連、ナチス・ドイツ、そして再びソ連に占領された時代の苦難の歴史が展示されています。

この展示で目を引いたのは、大西洋憲章に関する展示でした。そこにはこう記されてあったのです。

ラトビア占領博物館（ラトビア）

《ドイツの降伏後、ラトビア国民は、一九四一年八月十四日に大西洋憲章で宣言されたのと同じ自決の原則がラトビアにも適用されると期待していた。だがそうはならず、ラトビアは再びソ連に占領された。

一九四四年の夏、赤軍（ソ連軍）がまたもやラトビアの領土を侵略し、一九四四年十月十三日にリガを占領した。ラトビアの東半分はソ連の占領下に入った。西部（クルゼメ州）は一九四五年五月八日の第二次世界大戦終戦までナチスによる支配が続き、そのあとソ連に占領された。その後四十六年間、ラトビア全土はソ連に占領されたままだった。》（拙訳）

一九四一年八月　大西洋憲章

通説

ルーズヴェルト米大統領とチャーチル英首相が、後の国際連合憲章の基礎ともなる大西洋憲章を発表した

大西洋上（カナダ・ニューファンドランド州沖のプラセンティア湾）で行われた両首脳の会談によって一九四一年八月十四日に発せられた大西洋憲章は、連合国の戦争目的を明確にするものだった。八項目からなり、領土不拡大、領土不変更、民族自決、貿易の機会均等、労働・生活環境改善、軍備縮小、海洋の自由、国際安全保障の確立が謳《うた》われていた。

見直し

英米両国は大西洋憲章を公表し、領土不変更を約束していたが、一九四五年二月のヤルタ会談において英米両国首脳は、ポーランドや日本の千島列島をソ連領とすることを容認し、自ら大西洋憲章を踏みにじった

バルト三国の一つラトビアの占領博物館は、英米両国が大西洋憲章において領土不変更を約束していたにもかかわらず、ソ連によるバルト三国の併合を黙認したとして、英米両国の約束違反を追及している。

アメリカのルーズヴェルト大統領とイギリスのチャーチル首相は一九三九年以降、第二次世界大戦中に十一回の会談を行ったとされています。

一九四一年八月、両首脳は大西洋上で会談し、会談終了後の八月十四日、共同宣言が発せられました。当初、大西洋憲章（Atlantic Charter）という名称はなく、同月二十四日にチャーチルが議会でこの名称を使ったことから広まったとされています。

大西洋憲章は、連合国側の戦争目的を明らかにするものでした。連合国とは、日本、ドイツ、イタリアなどの枢軸諸国に対して交戦状態にあった国々の総称です。枢軸国という呼称は、一九三六年にイタリアのムッソリーニが、国際関係はローマとベルリンを結ぶ垂直線を「枢軸」として転回する、と演説したことに由来しています。

アメリカとイギリスの共同宣言である大西洋憲章は、次のような内容の八項目からなっていました。

（一）アメリカとイギリスは、領土拡大を求めない。
（二）アメリカとイギリスは、関係国の国民の意思に反して領土が変更されることを欲しない。
（三）アメリカとイギリスは、すべての人民が民族自決の権利を有することを尊重する。主権および自治を強奪された者に対して主権および自治が返還されることを希望する。

(四) アメリカとイギリスは、大国小国、戦勝国敗戦国を問わず、貿易障壁は引き下げるべきであると考える。

(五) アメリカとイギリスは、すべての人の労働基準、経済的向上及び社会的安全を確保するために世界的に協力することを希望する。

(六) アメリカとイギリスは、ナチス・ドイツによる暴虐と破壊の後、すべての国民に対してその国境内において安全に居住する手段を供与し、すべての国の人々が恐怖と欠乏から自由となる平和が確立されることを希望する。

(七) すべての人々が妨害を受けることなく公の海洋を航行できるようにするべきである。

(八) アメリカとイギリスは、さらに広汎で永久的な一般的安全保障制度が確立されるまでは、かかる国の武装解除は不可欠であると考える。また、平和を愛する国民のために、軍縮のためのすべての実行可能な措置に対して援助を行うだろう。

大西洋憲章にはその後、ソ連をはじめとする二十六カ国が加わり、一九四二年一月の連合国共同宣言で戦後構想の原則として確認されました。後の国際連合憲章の基礎となり、また、戦後のNATO（北大西洋条約機構）、GATT（関税と貿易に関する一般協定）もこの共同宣言が基になっているとされています。

このようにルーズヴェルト大統領とチャーチル首相は一九四一年の大西洋憲章において「領土変更における関係国の人民の意思の尊重」などを謳ったにもかかわらず、一九四五年二月、ヤルタ会談においてソ連によるバルト三国「占領」を黙認し、自ら大西洋憲章を否定してしまったのです。

ヤルタ合意を謝罪したブッシュ大統領

ヤルタ協定は大西洋憲章に反しているのではないか、という批判の展示は、エストニアの古都タルトゥに建てられているKGB監獄博物館や、首都タリンに建てられているエストニア占領・自由博物館などでも見られました。

こうしたバルト三国による追及があったからでしょう。

二〇〇五年五月七日、アメリカのジョージ・ブッシュ大統領（共和党）はラトビアの首都リガで演説し、ルーズヴェルト大統領が結んだヤルタ合意を「史上最大の過ちの一つ」と認め、「安定のため小国の自由を犠牲にした試みは反対に欧州を分断し不安定化をもたらす結果を招いた」と謝罪したのです。

　この時のブッシュ大統領の演説全文は、ホワイトハウスのアーカイブでいまも見ることができますが、参考のため、関連箇所だけ邦訳して紹介しましょう。


《六十年前の勝利を記念して、私たちはあるパラドックスに思いを馳せています。

　ドイツの多くの人々にとって、敗北は自由をもたらしました。東欧・中欧の多くにとっては、勝利は別の帝国の鉄の支配をもたらしました。対ドイツ戦勝記念日はファシズムの終焉を示したが、抑圧を終わらせたわけではありません。

　ヤルタ協定は、ミュンヘン協定やモロト

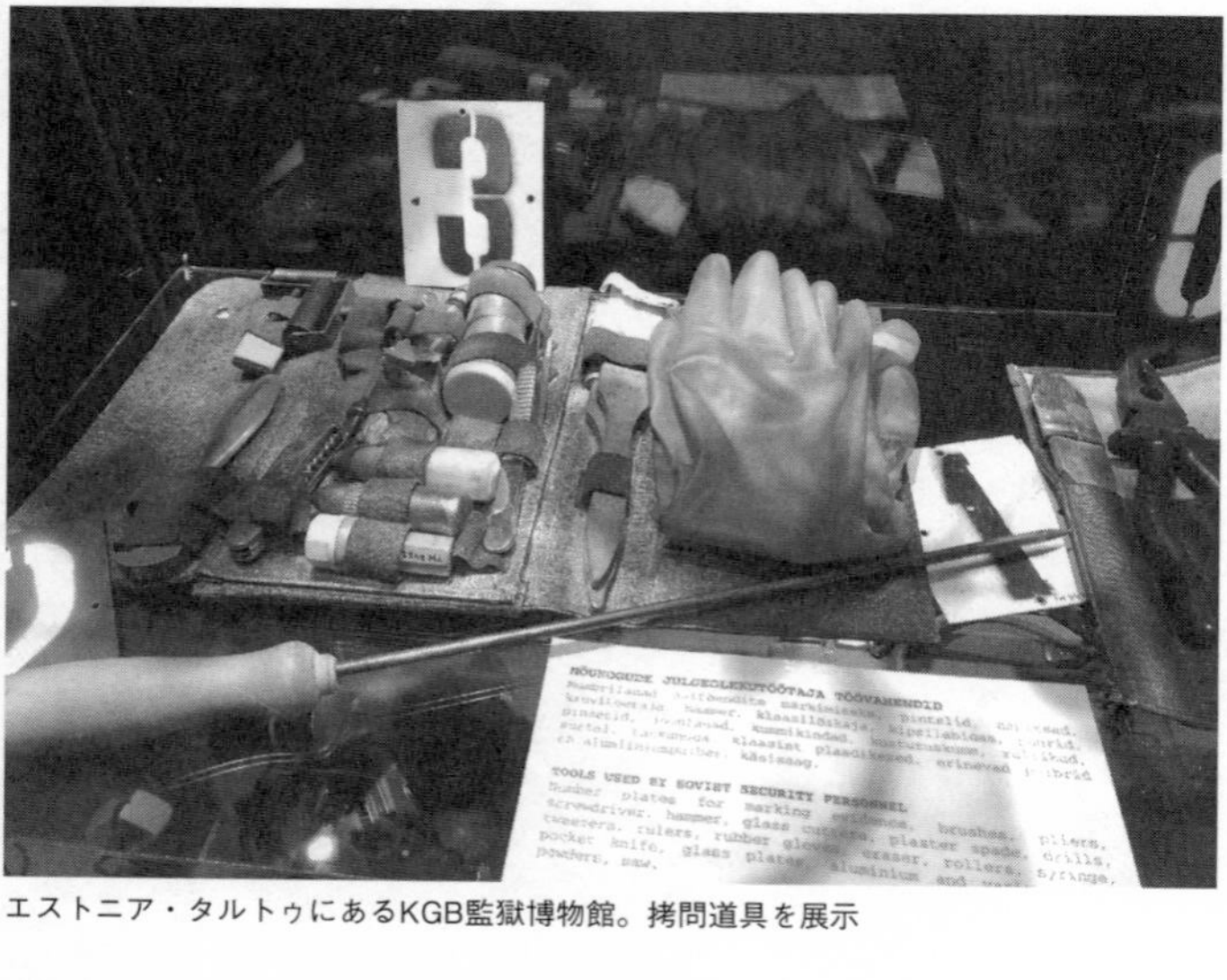

エストニア・タルトゥにあるKGB監獄博物館。拷問道具を展示

フ・リッベントロップ協定（独ソ不可侵条約）の不当な伝統を引き継ぐものでした。またしても大国同士の交渉において小国の自由が犠牲になったのです。しかし、小国の自由を犠牲にしようとする試みは、欧州大陸を分断し、不安定にしました。中・東欧の何百万人もの人々が捕らえられたことは、歴史上最大の過ちの一つとして記憶されるでしょう（The captivity of millions in Central and Eastern Europe will be remembered as one of the greatest wrongs of history）。

第二次世界大戦の終結は、アメリカにとって避けて通れない疑問を投げかけました。私たちが戦い、犠牲になったのは、ヨーロッパを分割するためだけだったのか。自由と国家の権利のために、もっと多くのことが必要ではなかったのか？　最終的にアメリカと強力な同盟国は、決断を下しました。私たちは、ヨーロッパの半分が解放されただけでは満足せず、鉄のカーテンの向こうにいる友人たちのことも忘れませんでした。

私たちは、ギリシャとトルコの自由を守り、ベルリンに物資を空輸し、ラジオで自由のメッセージを伝えました。私たちは異論を唱える人々のために声を上げ、憎しみの壁を取り払うために帝国（ソ連）に挑戦しました。

やがて共産主義は、外圧と自らの矛盾の重さで崩壊し始めました。そして私たちは、ヨーロッパが完全で、自由で、平和であるというビジョンを掲げました。そうすれば、独裁者が立ち上がって昔からの不満を解消し、紛争が何度も繰り返されることはなくなるでしょう。

この数十年の闘争においてバルト諸国の人々は苦しみと希望の長い警戒を続けていました。孤立した生活を送っていても、孤独ではありませんでした。アメリカは、ソ連帝国による占領を認めませんでした。

自由なラトビア、エストニア、リトアニアの国旗は、国内では違法とされていましたが、アメリカの外交機関には誇らしげに掲げられていました。

そして、あなた方が抗議のために手をつなぎ、ソ連帝国が崩壊したとき、ヤルタの遺産はついに完全に葬り去られたのです。バルト諸国の安全と自由は、今や崇高な願望以上のものであり、あなた方の自由を守るために、我々が共有する同盟の拘束力のある誓約となっています。あなた方は決して一人ではないのです。》(拙訳)

(https://georgewbush-whitehouse.archives.gov/news/releases/2005/05/20050507-8.html)

ルーズヴェルト大統領は民主党、ブッシュ大統領は共和党で、党が異なるとはいえ、自国の大統領の対外政策を「史上最大の過ちの一つ（one of the greatest wrongs of history）」だとして、謝罪をしたことは異例のことでした。アメリカは対外政策において自国の過ちをめったに認めない国なので。

にもかかわらず、ブッシュ大統領がバルト三国にわざわざ出かけて、ルーズヴェルト政権時代にソ連のスターリンと結んだヤルタ協定について間違いだったと謝ったのは、それだけバルト三国や中・東欧諸国の批判が厳しかったからです。

東欧革命とソ連の崩壊とともに、ソ連を正義と見なす戦勝国史観もまた瓦解し、いまや中・東欧諸国は、ソ連・スターリンの戦争責任と、ソ連による中・東欧支配を事実上容認したアメリカのルーズヴェルト政権の責任を追及しているのです。

よって、第二次世界大戦をめぐるソ連の動向は次のように見直されるべきなのです。

《ソ連は戦時中から戦後にかけて東欧・中欧諸国を占領・併合し、戦後も衛星国として支配を続けた。しかも英米諸国はヤルタ会談において、ソ連によるポーランドやバルト三国支配を事実上、容認してしまった。》

第二次世界大戦でアメリカやイギリスなどの連合国が、ドイツや日本を破り、世界に平和を取り戻しました。めでたし、めでたし、といった印象を抱いている方も多いと思います。しかし実際は、ドイツによって侵略され、占領されたヨーロッパ諸国のうち、東欧と中欧、そしてバルト三国は第二次世界大戦後、実に五十年近くもソ連によって支配され、過酷な人権弾圧と貧困に苦しんできたのです。そして、その責任の一端は、ソ連による東欧支配を容認したアメリカとイギリスにもあったのです。

東欧と中欧、バルト三国が第二次世界大戦後、自由と独立を取り戻したのは、一九八九年以降のことです。

敗戦直後のニュルンベルク裁判と東京裁判によって第二次世界大戦の歴史は確定されたかのように誤解している人が日本には多いですが、東欧や中欧の「言い分」を踏まえた総合的な第二次世界大戦史の編纂はまだ始まったばかりであることを理解しておきたいものです。

第二章

ソ連と共産主義の責任を追及する欧州議会

ソ連とナチス・ドイツの二つの全体主義国家に挟撃されたことを示す第二次世界大戦博物館

第二次世界大戦勃発八十年で欧州議会が決議

ベルリンの壁が崩壊した一九八九年以降、少しずつ自由と独立を取り戻した中・東欧諸国は、ソ連と共産党による戦争犯罪と人権弾圧を追及する動きを始めました。いまや、その動きは欧州全体に広がりつつあります。

第二次世界大戦勃発八十年にあたる二〇一九年九月十九日、欧州連合（EU）の一組織である欧州議会が「欧州の未来に向けた重要な欧州の記憶」（European Parliament resolution of 19 September 2019 on the importance of European remembrance for the future of Europe）と題する決議を可決したのです。

この決議では、次のような歴史認識が示されています。

《第二次世界大戦は前例のないレベルの人的苦痛と欧州諸国の占領とをその後数十年にわたってもたらしたが、今年はその勃発から八十周年にあたる。

八十年前の八月二十三日、共産主義のソ連とナチス・ドイツがモロトフ・リッベントロップ協定と呼ばれる不可侵条約を締結し、その秘密議定書で欧州とこれら二つの全体主義体制に挟まれた独立諸国の領土とを分割して、彼らの権益圏内に組み込み、第二次

世界大戦勃発への道を開いた。》（以下、拙訳で、《　》内は決議）

ソ連もまた「侵略国家だ」と指摘しているのです。決議はこう続けます。

《モロトフ・リッベントロップ協定と、それに続く一九三九年九月二十八日の独ソ境界・友好条約の直接の帰結として、ポーランド共和国はまずヒトラーに、また二週間後にはスターリンに侵略されて独立を奪われ、ポーランド国民にとって前例のない悲劇となった。

共産主義のソ連は一九三九年十一月三十日にフィンランドに対して侵略戦争を開始し、一九四〇年六月にはルーマニアの一部を占領・併合して一切返還せず、独立共和国たるリトアニア、ラトビア、エストニアを併合した。》

ソ連の侵略は、戦後も続きました。

《第二次世界大戦終結のあと、一部の欧州諸国は再建して和解へのプロセスに踏み出すことができた一方で、幾つかの欧州諸国は独裁体制のもとに残って、一部はソ連の直接占領や影響下に置かれ、自由、独立、尊厳、人権および社会経済的発展を半世紀の間、奪われ続けた。》

戦時中にソ連に占領されたポーランドやバルト三国では、知識人の処刑、略奪・暴行、シベリアなどでの強制労働などが横行しました。

しかも第二次世界大戦後、ソ連に占領された、これらの国々は自由を取り戻すはずだったのですが、実際はソ連の武力を背景に共産党政権が樹立され、ソ連の衛星国にされてしまいます。バルト三国に至っては、ソ連邦に併合され、独立を失ってしまいました。

しかし、ソ連のこうした戦時中と戦後の戦争犯罪は追及されてきませんでした。よって欧州議会決議はこう指摘しています。

《ナチスの犯罪はニュルンベルク裁判で審査され罰せられたものの、スターリニズムや他の独裁体制の犯罪への認識を高め、教訓的評価を行い、法的調査を行う喫緊の必要性が依然としてある。》

勝者の裁きであったニュルンベルク裁判は不十分でした。この裁判で不問にされた、ソ連・共産主義体制による人権弾圧について徹底的に調査し、共産主義体制がいかに危険なものなのかを、欧州の人々に積極的に伝えるべきだと提案しているのです。

よって、一九四五年十一月から始まったニュルンベルク裁判において、ソ連の戦争犯罪も追及されるべきだったと、欧州議会は指摘したのです。

一九四五年十一月　ニュルンベルク裁判

通説

戦時国際法違反以外に新たに設定された平和や人道に対する罪に問われ、ナチス・ドイツの指導者十二名が死刑判決を受けた

一九四五年八月の米英ソによる連合国協定に基づき、ドイツのニュルンベルクに国際軍事裁判所が設置され、同年十一月から翌年十月一日にかけてナチス・ドイツの指導者の戦争犯罪を追及する裁判が行われた。裁判では、捕虜虐待などの戦時国際法違反以外に、新たに、平和や人道に対する罪が設定された。

見直し

ソ連の戦争責任が不問に付されたのは間違いだった

ニュルンベルク裁判のテーマは、ドイツの悪を示すことが平和につながる、敵はソ連ではない、とすることだったが、それは間違いであり、ヨーロッパの自由と平和を守るためには改めてソ連の戦争責任を追及すべきである。

共産主義に対する裁判を求める国際アピール

ニュルンベルク裁判のような形で、ソ連、共産主義に対する裁判を行うべきだという意見はその後も、ヨーロッパでは繰り返し論じられています。

これは麗澤大学のジェイソン・モーガン准教授に教えてもらったのですが、二〇二〇年二月四日、イタリアのローマで開催された「神・名誉・国」全国保守主義会議（"God, Honor, Country," National Conservatism Conference）でローマ大学ロベルト・デ・マッテイ（Roberto de Mattei）名誉教授は、「ニュルンベルク裁判に類似した共産主義に対する裁判の実施」を呼びかけました。

カトリックのデ・マッテイ名誉教授は、自由主義陣営の指導者が共産主義に宥和的だと、共産主義勢力の力は強まっていくとして、ベルリンの壁を例に次のように指摘しています。

《ベルリンの壁がつくられたのは一九六一年、政治的指導者であるアメリカのジョン・F・ケネディ大統領と、宗教的指導者であるローマ教皇ヨハネ二十三世という、二人の進歩的な指導者が自由世界のトップに立っていた時代でした。

そして一九八九年には、政治家のレーガンと宗教家のヨハネ・パウロ二世という二人の保守派リーダーの貢献により、同じベルリンの壁が壊されました。

今日、私が強調したいのは、レーガンとヨハネ・パウロ2世の戦略が、ニクソンとキッシンジャーのデタント、パウロ6世とカサローリ枢機卿のオストポリティーク（東方政策、ソ連に対する宥和外交）よりも、政治的に大きな成功を収めたということです。》

（https://www.lifesitenews.com/news/communist-virus-has-infected-catholic-church-says-respected-catholic-historian/ より拙訳）

リベラル派のケネディ大統領と、ローマ教皇ヨハネ二十三世のときに、ベルリンの壁がつくられ、反共を掲げた保守派のレーガン大統領とヨハネ・パウロ二世のときに、ベルリンの壁が壊されたのは決して偶然ではないと、デ・マッテイ名誉教授は指摘しているのです。

そして、保守派のリーダー二人に共通していたのは、《政治は道徳的価値から切り離されたものではなく、道徳的価値を尊重したものである》との政治観に基づき、《二人とも共産主義は単なる経済的な悪ではなく、道徳的な悪であると考えて》おり、現に《一九八三年にレーガンはソ連を「悪の帝国」、「現代世界における悪の中心」と呼んだ》のです。

ところが、共産主義に対する警戒心がいまやすっかりなくなってしまっている、としてデ・マッテイ名誉教授はこう続けます。

《ベルリンの壁崩壊から三十年、映像や活字の「メディア」を支配する人々の界隈では、共産主義が政治的に崩壊した後も、決して「悪」とは見なされていません。

二〇一八年五月五日、欧州委員会のジャン・クロード・ユンカー委員長（当時）は、ドイツのトリーアで開催されたカール・マルクス生誕二百年記念の厳粛な祝賀会に参加し、その遺産を擁護しました。

同年、ニューヨーク・タイムズ紙は二百周年を記念して、マルクスを予言者のように扱う社説を掲載しました。そして今日、共産主義は、中国やラテン・アメリカだけでなく、共産党が消滅したヨーロッパでもそのイデオロギーは残っています。》

ドイツやフランス、アメリカなどでは、共産主義を讃える言説がいまだに堂々とまかり通っていて《共産主義は死んでいない》と、批判しているわけです。

ソ連の衛星国とされた中・東欧諸国では、ソ連と共産主義に対する警戒、批判が強まっている一方で、ソ連に支配されなかった自由主義陣営諸国のリベラル派の間では、いまだに共産主義に対して宥和的な議論がまかり通っている、という構図です。

ヨーロッパもまた、一枚岩ではない、ということです。

ソ連の戦争犯罪と共産主義に宥和的なリベラル系の動きに対抗すべく、欧州議会の決議の一カ月後の二〇一九年十月、ウラジミール・ブコフスキー氏（アレクサンドル・ソルジェニツィン、アンドレイ・サハロフなどと並ぶ反ソ連、反体制派の一人）と、レナート・クリスティン教授（イタリア・トリエステ大学）の発案により、世界各国の知識人が共産主義に関する新たなニュルンベルク裁判を求めるアピール（Appeal for Nuremberg Trials for Communism）を開始しました。

このアピールには、開始当時の時点でアントニオ・タジャニ（イタリアの欧州議会議員）、ステファン・クルトワ教授（フランスの歴史家、『共産主義黒書』の著者）、ロバート・R・ライリー（ウェストミンスター研究所の所長、元ボイス・オブ・アメリカのディレクター）、マート・ラール（元エストニア首相）、エルハルト・ブセック（オーストリア共和国の元副首相）などが賛同しています。

デ・マッテイ名誉教授はこのアピールに賛同した理由を次のように述べています。

《私がこの訴えに参加したのは、共産主義が存続した期間の長さ、包含した地理的領域、そして生み出すことのできた憎悪の大きさという点で二十世紀において共産主義の犯罪に匹敵するものはなかったと確信しているからです。このため、共産主義は裁判にかけられるべきです。

ニュルンベルク裁判のような形で共産主義の裁判を求めることは、今日では時代錯誤に見えるかもしれません。ベルリンの壁が崩壊してから三十年が経過し、共産主義の罪を犯した人々の大半は死亡したか、民主主義に転向したと見られています。

しかし、ブコフスキーが求め、私たちが要求している共産主義に対する裁判は、共産主義の構築者とその共犯者の責任を歴史と世論の前に告発する、文化的・道徳的な手続きとみなされるべきです。》

ソ連・共産主義の「犯罪」を教えよう

そもそも欧州統合は、ナチス・ドイツとソ連・共産主義体制という二つの全体主義から、自由と民主主義を守るために生まれました。二〇一九年九月十九日の欧州議会の決議文はこう記しています。

《欧州の統合ははじめから、二つの世界大戦によって引き起こされた苦しみと、ホロコーストをもたらしたナチスの圧政と、中欧・東欧への全体主義的で非民主的な共産主義体制の拡大への対応であったし、欧州における深刻な分断と敵意を協力と統合によって乗り越えて、欧州において戦争を終わらせ、民主主義を守る方法であった。》（以下、

拙訳）

よって二つの全体主義による「犯罪」を記憶することが重要だとしてこう指摘しています。

《全体主義体制の犠牲者を記憶し、共産主義者・ナチス及び他の独裁体制によって行われた犯罪という欧州共通の遺産を認識して関心を高めることが、欧州及びその人々の統合にとって、また、現在の外的脅威に対する欧州の抵抗力をつくるために決定的に重要である。》

では何故いま、ソ連・共産主義の犯罪を問題にするのでしょうか。それは現在のロシアがソ連・共産主義の「犯罪」を正当化しようとしているからです。

決議はロシアのプーチン政権をこう批判しています。

《ソ連人民代議員大会が一九八九年十二月二十四日に、モロトフ・リッベントロップ協定締結及びその他のナチスとの間で結んだ協約を非難したにもかかわらず、二〇一九年八月にロシア政府当局者は、このモロトフ・リッベントロップ協定とその結果に対する責任を否定し、真に第二次世界大戦を引き起こしたのはポーランド、バルト諸国および西側であるという見解を現在広めつつある。》

よって決議では《全体主義的共産主義体制及びナチス体制が行った犯罪と侵略行為に関して明確かつ原則に基づいた評価を行うことをすべての加盟国に求める》として、次のようなことを加盟国に求めています。

《全体主義体制の被害者のため八月二十三日を欧州追悼の日として欧州連合と国レベルの両方で記念すること》

《欧州連合のすべての学校のカリキュラムと教科書に全体主義体制の帰結の歴史と分析を含めることによって、これらの問題に対する若い世代の関心を高めること》

《現在のロシア指導層が歴史的事実を歪めてソビエト全体主義体制が犯した犯罪を糊塗しようとする努力を深く憂慮し、そのような努力は欧州の分断を目的として行われている民主的欧州に対する情報戦の危険な要素であると考える。それゆえ、欧州委員会がこうした努力に対して断固として対抗することを求める。》

現在のロシアがソ連・共産主義体制時代の戦争犯罪を正当化し、ヨーロッパ各国で宣伝工作を仕掛けていることに対抗して、欧州各国でもナチズムと共産主義という二つの全体主義の問題点を徹底的に伝えることが自由と人権、民主主義を守るためにも必要だ、と考えているのです。

一方、日本では、ナチズムの問題点はなんとなく教えられていますが、もう一つの全体主義である共産主義については、明確に問題点を理解している人はごく僅かです。

欧州議会とロシアで対立する歴史観

この欧州議会の決議に対してロシアのプーチン政権は強く反発をしました。産経新聞がその経緯を次のように報じています。

《プーチン露大統領、歴史認識で欧州を批判　米誌に寄稿

【モスクワ＝小野田雄一】米政治外交誌「ナショナル・インタレスト」（電子版）は18日、ロシアのプーチン大統領の論文「第二次世界大戦75年の本当の教訓」を掲載した。「大戦はナチス・ドイツと旧ソ連が引き起こした」との歴史認識を示した欧州議会を批判し、反論する内容。プーチン氏には、ソ連と後継国ロシアが国家の存立基盤としてきた「ファシズムからの解放者・戦勝国」との立場を守るとともに、領土問題を含む戦後秩序を正当化する意図があるとみられる。

第二次大戦は従来、1939年9月のナチスによるポーランド侵攻が直接的な契機とされ、ナチスと戦ったソ連は「欧州の解放者」と評価される傾向が強かった。しかし欧州議会は昨年9月、「39年8月に不可侵条約と欧州分割の密約を結んだナチスとソ連という二つの全体主義国家が大戦の道を開いた」とする決議を採択。ナチスだけでなくソ連の戦争犯罪も検証する必要性があるとも指摘した。

決議に対し、プーチン氏は昨年12月、「完全なたわごとだ」と反発。ロシアの立場を論文にまとめる計画を表明していた。

論文でプーチン氏は「第一次大戦後、欧州はドイツに莫大《ばくだい》な賠償金を背負わせナチスの台頭を招いた」と指摘。英仏を中心に設立された国際連盟はスペイン内戦や日本の中国進出を防げなかったとも述べた。さらに、英仏伊独による38年のミュンヘン会談で、各国がナチスに融和姿勢を取ったことが大戦の「引き金」になったとの認識を示した。

プーチン氏は「ソ連がドイツと不可侵条約を結んだのは欧州諸国で実質的に最後だった」と主張。同条約締結は一連の国際情勢の帰結に過ぎず、「ソ連を非難するのはアンフェアだ」とした。欧州議会の決議は、ミュンヘン会談に一切触れていないとも批判した。

その上で41年に始まった独ソ戦に関し、「ソ連は多大な血を流し、ナチスの敗北に決定的な貢献を果たした」と評価。対日戦に関しても「完全に（連合国間の）ヤルタ合意に従ったものだった」としたほか、「連合国が日本の軍国主義を打倒した」とした。

プーチン氏は最後に、大戦後の世界秩序にも言及。国連安全保障理事会の常任理事国5カ国の努力により、第三次大戦が防がれてきたとの認識を示した。その上で、5カ国が持つ拒否権を廃止すれば国連は無力化すると警告した。》（二〇二〇年六月十九日付産経新聞デジタル版）

プーチン政権はあくまで、ナチス・ドイツと戦ったソ連は正しかったし、ソ連のおかげでナチス・ドイツの台頭を防ぐことができたことを評価すべきだと、主張しているわけです。欧州議会の決議に対してプーチン大統領自らが乗り出して、アメリカの著名な雑誌に反論文を載せるとはなかなか大したものです。

歴史認識に関して欧州議会やアメリカの連邦議会が日本を批判する決議を出したとして、果たして日本の総理大臣が自ら反論文を出すとはとても想像できません。

しかし、プーチン大統領は敢然と反論しました。それは、それほど欧州議会の決議は、ロシアにとっては都合の悪いものであったということでもあります。なにしろ、ロシアは今後、ヨーロッパにおいて「悪者」扱いをされていく、ということであり、それは国際政治においてかなり不利になるからです。

このように第二次世界大戦に関する近現代史は現在も、国際政治を揺り動かす大きな要素なのです。そして明確なことは、ナチス・ドイツの戦争責任だけが追及されてきたことに反発する中欧、東欧、バルト三国の影響で、ソ連と共産主義の戦争責任も改めて追及されるようになってきているという構図は理解しておいた方がいいと思います。

まかり間違っても、ポーランドやハンガリー、バルト三国などに行って「ドイツを破ったソ連は正しい」なんて言わないようにしたいものです。総すかんを食らうことは必定です。

戦勝国史観は破綻しつつある

では、このヨーロッパでの近現代史見直しの動きを、日本はどのように受け止めるべきなのか、という点についても触れておきたいと思います。

第一に、戦後の日本の歴史教科書で描かれた「日本は侵略国家であり、悪い国だが、ソ連は戦勝国であって、いい国だ」といった単純な歴史観はすでに破綻してしまっている、ということを理解すべきです。

日本は一九四六年五月に始まった東京裁判で「侵略国家」というレッテルを貼られました。ドイツに対して実施されたニュルンベルク裁判がそうであったように、東京裁判においてもソ連は、判事、つまり正義の側に立っていました。

バルト三国をはじめとする東欧・中欧諸国からすれば、ソ連が正義であるような歴史観などありえません。日本では「日本は悪で、ソ連を含む戦勝国は正義だ」とする戦勝国史観こそが国際社会の常識だと主張する歴史学者が多いのですが、バルト三国やポーランドではこの歴史観は通用しません。

「お前らは何を言っているのだ、ソ連のスターリンやアメリカのルーズヴェルトが正義なわけがないだろう。ルーズヴェルトはヤルタ会談で俺たちの自由をスターリンに売ったのだぞ」と鼻で笑われるだけでしょう。

第二に、第二次世界大戦のヨーロッパ戦線において、日本はほとんど無関係です。確かに日本は、ナチス・ドイツと同盟関係にありましたが、実際にヨーロッパ戦線に軍隊を送ったわけではありません。

むしろ、ナチス・ドイツと同盟関係にあったにもかかわらず、ナチスのユダヤ人迫害政策に反対していました。そして、幸いなことに現在、日本のユダヤ人保護政策は高く評価されているのです。

例えばリトアニアにはホロコースト博物館があり、前庭に杉原千畝《ちうね》を「我々の味方であった」と称えるモニュメントが建っています。

ホロコースト博物館にある杉原千畝を称えるモニュメント（リトアニア）

杉原千畝の評価については様々な議論がありますが、少なくともリトアニアは、杉原千畝のことも含めて、日本はナチス・ドイツと同盟関係にあったにもかかわらずユダヤ人を守ろうとしてくれた国であり、戦後はソ連によるシベリア・樺太抑留で苦しんだ同じ仲間だと思ってくれているのです。

ラトビアの軍事博物館には、日の丸の旗が飾ってあります。第二次世界大戦後、多くのラトビア人たちがソ連によってシベリア、樺太に送られ、強制労働をさせられました。その時、同じシベリア、樺太にいた日本人たちと知り合いになり、プレゼントされた日章旗を本国に持ち帰ったのだそうです。

ラトビアは、一九九一年の独立回復後、ソ

ラトビア軍事博物館に飾られた日章旗（ラトビア）

連の全体主義に苦しめられて助け合った日本人たちは味方である、という理由から日の丸を飾ってくれています。

よって日本としては、戦前からドイツと同盟関係を結ぶことに反対していた政治勢力があったことを対外的に宣伝しつつ、まずは、ナチスのユダヤ人迫害に反対していた史実を国際的にアピールすることが重要だと思います。

樋口中将の功績を後世に伝えよう

幸いなことに、杉原千畝氏以外にも、ユダヤ人迫害に奮闘した軍人が日本には存在します。その代表的な人が樋口季一郎中将です。

樋口中将はハルビン特務機関長だった一九三八年以来、ナチス・ドイツの迫害から逃れ、満洲を経由して上海に亡命することを目指していた総計二万人に及ぶといわれるユダヤ難民の救済に尽力し、その人道主義は国際的に評価されています。

拙著『日本占領と「敗戦革命」の危機』（ＰＨＰ新書）でも言及しましたが、樋口中将は終戦に際してソ連軍が中立条約を一方的に破棄し、まず南樺太、さらに日本降伏後の八月十八日に千島最北端の占守島に侵攻してきたときも、第五方面軍司令官として「断固反撃」を指令、スターリンの北海道・東北占領計画を粉砕して、日本の国土分割の野望を阻止しました。

このとき、スターリンの北海道・東北占領計画が成功していたら、日本はその後、分断国家となり、北海道と東北の日本人は家族を人質に取られ、関東以西の日本地域でスパイやゲリラ活動を強制され、日本人同士で殺し合いを余儀なくされたに違いありません。そして一旦、殺し合いを始めたら、日本は憎悪の連鎖に引き込まれ、内乱状態に追い込まれたに違いありません。そうなれば、戦後の奇跡の復興もなかったでしょう。

そこで、この樋口中将の功績を後世に伝えるために「一般財団法人樋口季一郎中将顕彰会」が設立され、二〇二一年七月九日には、設立記念シンポジウムが東京の憲政記念館で開催され、私もパネリストとして出席しました。

このシンポジウムにはアメリカの戦略家エドワード・ルトワック氏からも次のような祝辞が届きました。

《樋口季一郎の名は、ユダヤ民族が存続するかぎり記憶され続けることでしょう。ユダヤ人の記憶は二〇〇〇年の時を超えて、記述された形で生き続けてきたものです。ユダヤ人の敵は憤怒をこめて記憶に深く刻まれますが、ユダヤ人の友は深い感謝の念をこめて、永遠に記憶されます。

樋口将軍が直面したのは、単純な決断でした。国境で起きていた事態を知ったとき、幾千人の人々が生存することを助けるために、あらゆる重荷を引き受けるべきか、それを見過ごすかという決断です。もし彼が日常の軍務を遂行するだけにとどまり、ユダヤ人たちをその運命に委ねたとしても、誰からも咎められなかったでしょう。しかし、彼は自らを咎めることになると思ったのでしょう。英雄とは、なされるべきことをなす指令を下すことに躊躇することを知らない人たちです。彼らは喝采を求めることもない。

皆様とご一緒に樋口季一郎を記憶し続けることは、高い名誉に預かることにほかなりません。

エドワード・ニコラエ・ルトワック（戦略家）》

戦前も戦時中も日本は、ナチスのユダヤ人迫害政策に賛成せず、ユダヤ人を保護しようとしました。その「史実」をもって世界に知らせることで、「ナチス・ドイツと同盟を結んでしまったことへの反省」を示すべきなのです。

外交においては、味方をつくるということが重要です。相手を批判すること以上に、味方の存在を認識し、そして味方となっている理由を正確に理解し、味方を増やすことが極めて大事なのです。

第四章

「強い日本派」と「弱い日本派」

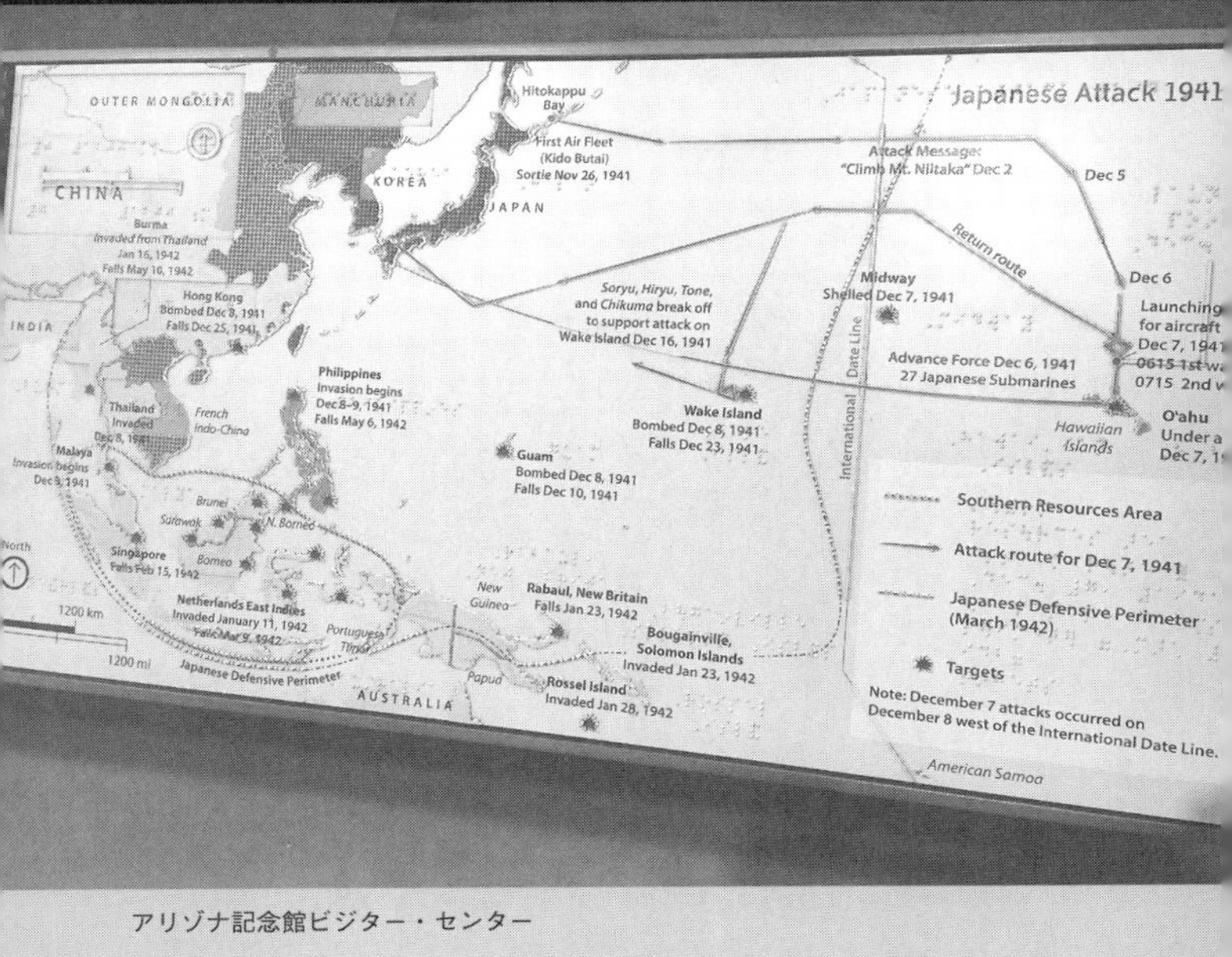

アリゾナ記念館ビジター・センター

初代国連大使の叫び

冷戦終結後、ヨーロッパで近現代史の見直しが起こっていることを紹介してきましたが、実は同じ動きがアメリカでも起こっています。

このアメリカの動きを紹介する前に、いくつか、基本的なことを押さえておきたいと思います。

先の大戦で「日本は悪い国だ」というレッテルを貼ったのは、一九四六年に始まった東京裁判においてでした。この東京裁判は、悪い日本を倒したアメリカは偉大であり、その後の国際社会を主導するのもアメリカだという政治宣伝の意味合いがあったわけです。

終戦五十年を前にした一九九四年、学界、経済界などの有志が集まって、加瀬俊一初代国連大使をトップとする終戦五十周年国民委員会という民間組織が創設され、東京裁判に関する国際的な検証を行おうということになりました。

そのプロジェクトを担当したのが、当時、外務省に対して国際法のアドバイスをしていた青山学院大学の佐藤和男教授でした。佐藤教授は外務省から依頼され、国際的な通商関係と国際経済法についてアジアや南米諸国に対して、いろいろとアドバイスをしていて、その関係で近現代史についても、世界各国の国際法学者や政治家、外交官たちと議論をしてきたそうです。

そして議論を繰り返すうちに、佐藤教授は、世界の専門家たちの東京裁判論をまとめないといけないと考えたわけです。

そこで佐藤教授が個人的に集めた世界の東京裁判批判の論文を邦訳するとともに、主に国会図書館に所蔵されている世界の東京裁判批判の論文を集め、それらを紹介する『世界がさばく東京裁判』という本を出すことになりました。その際に私もお手伝いをさせていただきました。結果的に十四カ国の高名な識者八十五人が英米やソ連などの連合国の戦争責任を追及し、東京裁判を批判していることを具体的に紹介することができました。

せっかくだから、加瀬大使にも序文をいただこうと、鎌倉のご自宅に伺いました。アメリカのケネディ大統領やインドネシアのスカルノ大統領らの写真が並ぶ応接間で、おいしいケーキをいただきながら、戦後の日本外交の裏話を直接うかがえたことは一生の思い出となりました。

加瀬大使からは、次のような序文をいただきました。

《序　東京裁判を裁判せよ

初代国際連合大使　加瀬俊一

かねてから私は「東京裁判を裁判せよ」と主張し、歴代首相にその必要を説いた。裁判は二年半にわたり一二三回も開廷し、鳴物入りで日本を糾弾したが、要するに、勝者の敗者に対する一方的断罪であった。日本の主権を完全に無視しており、パル・インド判事の名言を借りれば、歴史の偽造なのである。それに、「法律なければ犯罪なし」の原則に反する。しかも、わが国民は戦勝国の世論操作によって洗脳され、いまだに裁判の真相を理解していない。これを是正せぬ限りわが民族の精神的独立は回復しがたい。

それだけに、『世界がさばく東京裁判』

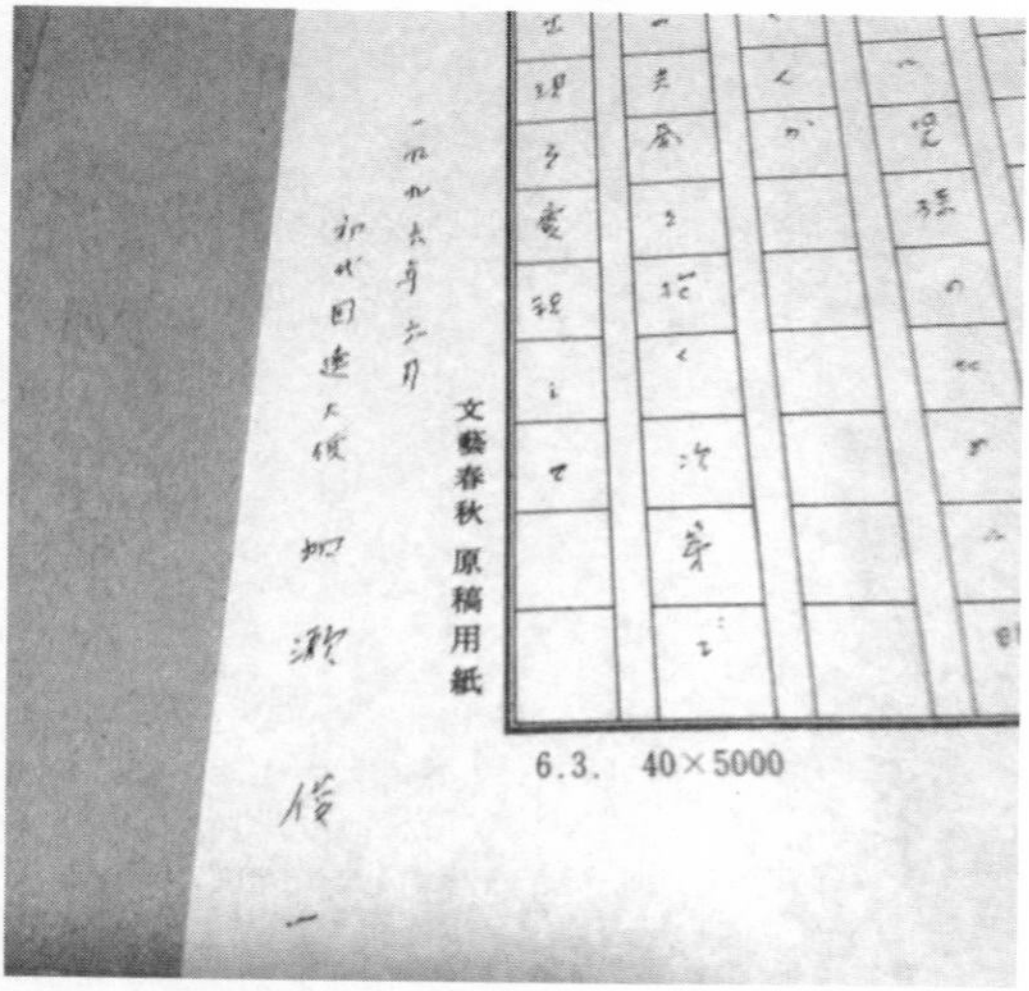

加瀬俊一初代国際連合大使からいただいた序文

が刊行されるのは極めて意義深い。十四カ国の高名な識者八十五人が連合国の戦争責任を追及し、東京裁判を批判している。そのなかには私の知友もいる。東京裁判は裁判官も検察官も戦勝国代表で構成しているのであって、その点で公正を欠くのだが、日ソ中立条約に違反して満洲に侵攻し、虐殺略奪をほしいままにしたソ連には明かに日本を裁く資格は皆無である。また、六十六都市を無差別爆撃して四十万の非戦闘員を殺戮したうえ、日本が終戦を模索していることを知りながら、原爆を投下したのは、天人ともに許さざる重大な国際法違反である。さらに加えれば、日本弁護団が用意した却下・未提出資料は全八巻にも及ぶ。歴史の真実を記録公表する意味は大きい。戦勝国によって言論の自由を奪われた日本の場合は特にそうだから、私は関係各位の愛国的奉仕に深く感謝している。同じ意味で、私はこの度の佐藤和男教授の不朽の御尽力に対して国民とともに感謝し、敬意を表しつつ、「日本国民みずからの手で主体的再審を行って、日本民族にとり歴史の真実とは何であったのかを、先人ならびに児孫のために明かにしようではありませんか」という最終の一節に無限の共感を抱く次第である。国民必読の好著の出現を慶祝して

平成八年（一九九六年）六月》

初代国連大使として世界的に活躍した加瀬大使が「東京裁判を裁判せよ」と題する序文を書いたこととの意味を繰り返し考えたいものです。

この『世界がさばく東京裁判』では、佐藤和男先生のご指導をいただきながら、主に国際法に基づいて、世界の国際法学者や政治家、歴史学者が、いわゆる東京裁判史観をいかに批判しているのかということとの紹介を中心に書きました。執筆を通じて最も意外に思ったことは、いわゆる東京裁判史観を批判している有識者が一番多い国がアメリカだったということです。

アメリカは一枚岩ではない

『世界がさばく東京裁判』で詳述しましたが、戦後、アメリカの中で東京裁判に関する批判が活発に行われていました。それも、ルーズヴェルト政権とその後を受け継いだトルーマン政権の対日政策に対する批判がこれでもかというばかり、多かったのです。

なぜそうなのかについて疑問を持ち、アメリカの内情をその後もいろいろと調査・研究をしてきました。

その結果、わかったことは、アメリカは一枚岩ではない、ということです。日本でも、自民党があって民主党があって、共産党があって、社民党があります。日本にも多様な政治勢力があるように、アメリカにも多様な政治勢力があるのです。よって「アメリカが東京裁判を実施した」という言い方は必ずしも正確ではありません。東京裁判を実施したのは、アメリカの民主党政権であって、共和党ではないからです。日本で言えば、自民党の安倍晋三政権の政策と、民主党の鳩山由紀夫政権の政策とを混同すべきではないということです。日米関係でも、防衛問題でも、その政策は、安倍政権と鳩山政権とでは真逆です。よって安倍総理と鳩山総理のしたことを一緒にして「日本政府が実施した」と混同すべきではない。この点を明確に自覚するところから、アメリカの政治についての議論を再構築しなければいけないというのが私の問題意識です。

戦前のアメリカの対日政策は大別して二つの流れがありました。

一つは「ウィーク・ジャパン派」(弱い日本派)、日本を弱くした方がいい派です。これは当時のルーズヴェルト民主党政権が採用していた対日政策であり、中国の蔣介石やソ連のスターリンもそれに同調していました。弱い日本派は、アジアで戦争が起こっているのは日本のせいだと考えている人たちでした。

もう一つは、「ストロング・ジャパン派」（強い日本派）、日本を強くした方がいい派というのもありました。その代表的な政治家が、共和党のハーバート・フーヴァー大統領やロバート・タフト上院議員、そしてアメリカンファースト・コミッティーという、チャールズ・リンドバーグ（初めて大西洋単独横断飛行に成功した飛行士）がつくった国民運動団体です。

この強い日本派は、アジアで紛争が起こっている原因はソ連の膨張主義や中国の排外ナショナリズムであり、ソ連の軍事的な覇権や中国の排外主義を抑えるために、日本は中国大陸で軍事行動をしているんだ、という受け止め方です。日本軍の行動は今でいうと、国連平和維持活動だと受け止めていたのです。

当時、中国での日本の行動を非難していたのは、弱い日本派の人たちで、どちらかというと、民主党系が多かったのです。一方、日本の軍事行動も問題があるが、ソ連や中国の問題行動に対応するため、日本はやむを得ず軍事行動をしていると、強い日本派の人たちは受け止めていて、どちらかというと、共和党系が多かったのです。ちなみにアメリカの庶民のほとんどはストロング・ジャパン派でした。なぜなら、日本を強くすることがアジアの平和へつながり、自分の家族を戦地に送らなくて済むと考えていたからです。よって共和党のフーヴァー大統領の時代は、実は日米関係は極めて良好だったのです。

このように戦前もアメリカの対日政策は真っ二つに割れていましたが、残念ながら日本のマスコミも軍部も、「弱い日本派」のルーズヴェルト民主党政権の言っていることがアメリカのすべてであるかのごとく受け止め、「鬼畜米英」を叫び、アメリカに対する敵対的な感情を募らせていました。

これに対して財界や外務省などは、アメリカは一枚岩ではなく、「強い日本派」も存在すると懸命に主張していたのですが、彼らは「自由主義者」「売国奴」などと非難され、肩身の狭い思いをしてきました。いつの時代もそうですが、威勢のいい議論の方が一般受けして、冷静な議論は片隅に追いやられてしまいがちです。

日本にとって不幸だったのは、一九三七年の日中戦争当時、アメリカは、「弱い日本派」のルーズヴェルト民主党政権だったことです。

一九三三年までは、フーヴァー共和党政権で、どちらかというとアメリカは、「強い日本派」でした。このフーヴァー共和党政権がしっかりしていれば、中国大陸における日本の行動について理解があったはずなのですが、このフーヴァー政権は一九二九年の大恐慌に端を発する世界恐慌に直面して経済政策で失敗してしまいます。

世界的なデフレになったのに、緊縮財政政策を取り、デフレをさらに悪化させたため、株価が暴落し、アメリカ中が大混乱に陥りました。一九一九年との比較で、GDPは四五パーセント減少し、株価は八〇パーセント以上、工業生産は三分の一に下落しました。失業率が二五パーセントとなり、千二百万人が失業し、社会保障制度もないフーヴァー共和党政権は信頼を失います。

日本でも二〇〇九年に発足した民主党政権時代に経済政策で失敗し、景気が悪化したことで、「民主党の言っていることなんて信用できるか」と国民の多くが思うようになってしまいました。これと同じ状況が一九三〇年代のアメリカでした。

ニューディール連合

国民の不信を買った共和党のフーヴァー政権に代わって登場した民主党のルーズヴェルト大統領はニューディール（新しいやり方）といって、いわゆる国家社会主義的な政策を実施しました。

簡単に言うと、連邦政府主導での道路や橋、発電所といったインフラ整備や、生活保護といった社会保障政策、労働組合優遇政策を推進し、ソ連との連携に踏み切ったのです。

共産主義国家であるソ連と国交を樹立して、その代わりにアメリカの農産物をソ連に買ってもらおうとしました。当時、野党だった共和党は、共産主義のソ連に対して非常に警戒していて、ソ連との国交樹立に反対でしたが、アメリカの農家を救うためという名目でソ連との国交樹立を押し切ったわけです。

このようなルーズヴェルト民主党政権による社会主義政策によって、アメリカの政治力学が大きく変わっていきました。

象徴的なことが、労働組合の台頭です。ルーズヴェルト政権発足前の一九三二年当時、労働組合員は百万人ぐらいでしたが、十年後の一九四一年には労働組合員は八百万人まで膨れ上がったと言われています。その大部分が、地方自治体と政府の中央省庁のメンバー、つまり日本でいう自治労・官公労と日教組です。

彼ら労働組合員たちが連邦政府の首都ワシントンと州政府を牛耳るようになっていきます。また、社会的に不利の立場に置かれがちだとして黒人やアジア系などのマイノリティー（少数派）や女性への優遇措置を採用しました。さらには官僚・学者・マスコミに対して優遇政策を進め、こうした政策を通じて巨大な利権集団をつくりあげます。

その結果、アメリカの政治は急激に左傾化していきます。この利権集団は、民主党の政治家たちが選挙に当選するための強力な票田になっていきます。この民主党を支える盤石な選挙マシーンを「ニューディール連合（New Deal Coalition）」と言います。このグループが第二次世界大戦中から戦後まで、一貫してアメリカの政治を牛耳ることになるのです。

しかも、このルーズヴェルト政権はソ連と連携しながら、日本を追い詰める外交政策をとっていきます。アメリカの保守派の中には、ルーズヴェルト大統領はレイシスト（人種差別）の傾向があり、日本に対してはひどい偏見を抱いていたと指摘する人もいるぐらいです。

ルーズヴェルト大統領は、中国大陸で紛争が起こっているのは日本のせいだと決めつけ、日本を追い詰める外交政策を実施します。

一九三七年七月、シナ事変が起こった三カ月後に、ルーズヴェルト大統領は「隔離演説」という有名な演説を行いました。この演説の中で、日本とドイツが世界の平和を乱しているというような決めつけをしました。当時の日本は、盧《ろ》溝橋《こうきょう》事件も含め中国側の軍事的挑発に対して自らを守るために軍事行動をしていただけで、早く紛争を止めようと、懸命に中国側と和平交渉をしていました。それにもかかわらずルーズヴェルト政権は、中国大陸で紛争を起こしているのは日本だと決めつけて日本を非難したのです。

このような一方的な対日偏見に基づく対日圧迫外交をルーズヴェルト民主党政権が進めることに対して、当時の野党、共和党の政治家たちは批判的でした。前大統領のフーヴァーや、ハミルトン・フィッシュやロバート・タフトといった政治家たちは、日本を追い詰めることは結果的にソ連の台頭をもたらすことになるのではないかと暗に批判していたのです。

ただ、残念なことに、こうした冷静な意見は世論受けしませんし、何よりも経済政策で失敗した共和党が当時、何を言っても国民に相手にされませんでした。マスコミも、ルーズヴェルト民主党政権の肩を持ち、共和党の政治家たちの意見を取り合おうとしませんでした。

しかも後述しますが、ルーズヴェルト民主党政権内部やマスコミなどに、ソ連・コミンテルンのスパイたちが入り込み、反日を煽っていました。こうした構図の中でルーズヴェルト民主党政権は日本を追い込み、最終的に日米戦争に発展していきました。

一九三七年十月　ルーズヴェルト米大統領の隔離演説

通　説

ルーズヴェルト米大統領は日独伊三国の侵略を伝染病に例えて強く非難した

一九三七年十月五日、ルーズヴェルト米大統領はシカゴで演説し、日独伊三国は世界的無法という伝染病に罹っており「隔離が必要だ」と非難。当時アメリカの国策だった中立主義を離れ、集団的安全保障の枠組みへの参加を主張した。

見直し

ルーズヴェルト米大統領は「ウィーク・ジャパン派」で、ソ連と手を結んで日本を弱くしようとしていた

隔離演説は、シナ事変勃発のわずか三カ月後に行われた。日本が中国と懸命に和平交渉を行っている最中であった。その後もルーズヴェルト政権は対日圧迫外交を推進し、日本でも反米世論が高まり、結果的に日米戦争へと発展した。

日中和平交渉を妨害したソ連

国際政治というのは、多くの国の思惑が入り交じり、どこかの国だけを悪者にしただけではその実情は見えてこないものです。

シナ事変、いわゆる日中戦争もそうです。

一九三七年（昭和十二年）七月に始まったシナ事変では、日本軍は徹底抗戦を叫ぶ中国軍相手に連戦連勝し、北京から上海、そして中国国民党政権の首都南京まで攻め込み、南京を陥落させましたが、中国は降伏しませんでした。戦争というのは、軍事的に勝利すれば、それで勝ちというわけではないのです。軍事的に勝っても、政治で負けるということもあるのです。そして当時の蔣介石政権は、日本を相手に軍事で勝てなくとも、国際政治で勝つことを考えていました。それは、イギリスやソ連、アメリカを味方につけるということです。

蔣介石政権が首都・南京を放棄して重慶に移りながら抵抗を続けることができたのは、イギリスの援助、そして同時にソ連の援助があったからです。

イギリスが援蔣ルートと呼ばれた輸送路を通じて蔣介石政権に多大な物資補給をしていたことは当時から有名でした。

一方、ソ連からの軍事援助については、その実態についてはあまり知られていませんでしたが、今では、日中戦争の動向に決定的な役割を果たしていたことがわかっています。シナ事変勃発後、軍事的に敗退を続けた蔣介石は同年十一月の時点でドイツの仲介による日中和平交渉に応じることを検討していました。日本軍が首都南京に攻めてくる前の話です。日本側も、シナ事変を拡大せず、できるだけ早く終結させたいと考えていました。

ところが十一月二十七日、駐華ソ連大使館付武官のミハイル・イワノウィッチ・ドラトウィンという人物が蔣介石のもとにやって来ます。当時中国軍軍事顧問を務めていたソ連のA・カリャギンが著書『抗日の中国』(新時代社、一九七三年)の中で次のように記しています。

《ドラトウィンの到着を知らされたとき、蔣介石はただちに南京にやってくるように指示した。彼はドラトウィンがモスクワから何を土産にもって来ているのかを知りたかったのである。これは好奇心のせいではなく、重大決定を行う前夜にあったからだった。

十一月二十八日、ドラトウィンは蔣介石に引見された。このとき彼はソビエト政府が武器の貸与について中国政府の要請を入れ、戦車や大砲がすでに送り出されていること、飛行機はその一部がすでに西安に来ていることを知らせた。

蔣介石は良いニュースを感謝し、それがちょうどよい時機に入手されたことを強調した。

十二月二日、徐謨《じょぼ》外交部次長に伴われて、ドイツ大使トラウトマンは南京に到着し蔣介石に引見された。

十二月三日、蔣介石は自分の飛行機を漢口に飛ばせて、ドラトウィンを南京に招いた。ドラトウィンが蔣介石の執務室に入ったとき、蔣介石は外交的挨拶を抜きにして、つぎのようにいった。

「昨日、ドイツ大使トラウトマンが、わたしのところに来ました。彼は日本政府の和平案をもって来たのです。わたしは断乎はねつけました。わたしたちは勝利の日までたたかう決意を固めました。このことをなにとぞ貴国政府に伝えて下さい」

このさい、蔣介石は武器の不足に困っていること、このような状態では長期抗戦はむずかしいことを強調した。中国国民への私心なき武器援助というソビエト政府の行為が一切を解決した。この当時ソビエト政府のこの行為を世界の進歩的な人々と西側諸国の帝国主義者たちとが、それぞれ異なった角度から評価した。だが、つぎのことだけには疑問の余地はなかった。それはソ連の時宜をえた、かつ有効な援助が日本軍の武力と西

側外交官の策謀によって、あやうく降伏しようとしていた蔣介石をくいとめたということである》

著者のカリャギンによれば、シナ事変の初期、中国戦線にあった日本の軍用機数は千五百機を数えていました。それに対して中国側は五百機に過ぎず、南京防衛戦のときに戦闘に参加できた飛行機はわずか五機に過ぎませんでした。

ところが一九三七年からの二年間で、ソ連は、中国に飛行機を八百機以上、加えて弾薬、ガソリン、飛行機用兵器、無線通信機、給油装置などを提供しました。

当時、蔣介石政権には機関銃で月産四十五挺程度の生産能力しかなく、武器不足には深刻なものがありました。ソ連は一九三八年三月までに、機関銃八千三百挺、小銃十万挺、自動車一千二百三十三台を、蔣介石政権に提供しました。宋子文という中国国民党幹部が「中国には武器が三億元分も輸入されているので、いまのところ武器の不足は感じられない」と広言していたほどの大規模な援助でした。

ソ連からの圧倒的な軍事援助のおかげで、蔣介石政権は自国の軍隊を強化し、日本軍に立ち向かうことができました。言い方を変えれば、ソ連こそが、大量の軍事物資を中国側に提供することで日中の和平交渉を妨害していたのです。

一九三七年七月　日中戦争開始

通説

日本政府は軍部の圧力に屈して戦線拡大政策に舵を切り、中国と全面戦争になった

一九三七年七月の日中両軍の軍事衝突事件「盧溝橋事件」をきっかけに、日本の軍部は軍事行動を拡大した。日本政府はこの戦闘を初め「北支事変」、ついで「支那事変」と名づけた。対する中国側は同年九月に第二次国共合作を成立させ、蔣介石率いる中国国民党と毛沢東率いる中国共産党の協力体制の下で日本に抗戦した。同年末、国民党政権の首都南京を日本軍が占領。国民党政権は南京から漢口、重慶へと退いてあくまでも抗戦を続け、日中戦争は泥沼化していった。

見直し

ソ連は大量の軍事物資を中国側に提供することで日中の和平交渉を妨害し、日中戦争を長

引かせた

シナ事変勃発後、蔣介石は、日本軍が首都南京に攻めてくる前にドイツの仲介による日中和平交渉に応じることを検討していた。しかしその直前、ソ連からの大規模な軍事物資援助の申し出を受けて抗戦続行を決めた。

外務省、陸軍、海軍にも浸透していた親ソ派

しかし実に意外なことですが、日中戦争を背後から煽ったソ連に対して、当時の日本は、なんと友好関係を結ぼうとしていたのです。

一九三九年八月二十三日、ドイツのヒトラーとスターリンとの間で独ソ不可侵条約が締結されます。その直後の同年九月三日、平沼騏一郎《きいちろう》内閣の有田八郎外相が、原田熊雄男爵（最後の元老と言われた西園寺公望の晩年の私設秘書）に対して次のように述べています。

《最近陸軍は独伊と軍事同盟を結ぼうとしてああいふ結果になり、結局失敗に帰したが、その連中が今度は独ソの不可侵条約に日本も加はつて、日独ソといふ関係で軍事同盟をやつてイギリスを叩かうといふ運動があり、謂はば左翼から右翼に転向した連中がその

主動的勢力になつてゐて、すこぶる危いものである。それに陸軍の一部が共鳴してしきりにやつてゐるのである。》（『西園寺公と政局』第八巻、原田熊雄、岩波書店、二〇〇七年）

当時の日本の、それも軍部の中には、アメリカやイギリスこそが日本にとって最大の敵であり、そのためには、ソ連と組むべきだという親ソ派が存在していたのです。

この親ソ的傾向は外務省にも広がっていました。同年十一月四日、阿部信行首相は、同じく原田男爵に対して次のように述べています。

《白鳥（敏夫駐イタリア・筆者注）大使がこの間帰つて来て、日独ソ同盟、要するに防共の中軸を強化して英米追出しをやらなければいかん、と言つてをつたから、自分は『英米追出しにソヴィエトの力を借りるといふ風なことは、非常によくない。物質的に力にならんのみならず、また精神的にもとても力にならん。なにはともあれ国際精神の面では日本はまだなかなか訓練されてゐないから、非常な危険を伴ふと思ふ』と白鳥には自分の反対論をはつきりよく言つておいた。》（前掲書）

ソ連は、「天皇制」打倒を叫び、共産主義革命を世界各国に輸出する本拠地でした。ソ連による共産主義の脅威から日本の安全と国益を守るため、同じく反共を唱えるドイツと組もうとして、日独伊三国同盟を結んだのです。

しかし、当時の外務省の中には、共産主義を唱えるソ連と組んで《防共の中軸を強化》しようと考える外交官が少なからずいたのです。

共産主義を唱えるソ連と組むことが《防共の中軸を強化》することになるとは思えませんが、「親ソ熱が若い官吏に瀰漫《びまん》してゐる。外務省の若い連中なんかほとんど全部が、それといつてもいい様子だ」（近衛文麿談）という実態であったのです。

戦前、日本共産党は厳しく弾圧されたと言われます。

確かに厳しく取り締まりを受け、事実上、解党に追い込まれましたが、その一方で、共産主義やソ連に共感を抱く学者、官僚、軍人が多数存在していたこともまた、事実なのです。

外務省や陸軍の一部だけでなく、海軍もまたソ連と組むことを考えていました。

一九三九年（昭和十四年）八月二十四日、海軍大佐の高木惣吉海軍省調査課長は、日本

の対外政策を検討するたたき台として「対外諸政策ノ利害得失」という文書を作成しています。日本の今後の目標は「東亜新秩序ノ建設育成」にあると定め、次の四つを「根本方針」として掲げました。

一、支那事変の早期解決
二、多正面戦争の絶対阻止
三、日本、満洲、中国との連携体制の強化
四、国内諸体制の整備充実

勃発からすでに二年が経過したシナ事変を早期解決しようという方針や、同時に複数の戦争を行わないようにしようという方針は当然でしょう。問題は、具体的な対外方針です。高木海軍省調査課長は、対外方針について三つの選択肢を提示しました。

一、どことも連携しない「孤立独住政策」
二、イギリス、フランス、アメリカとの連合

三、ドイツ、イタリア、ソ連との連合

この三つの選択肢について高木課長はそれぞれの得失を論じていますが、結論として日本が選択すべき最も有利な政策は、「ドイツ、イタリア、ソ連との連合政策」であると結論づけました。

高木課長は、日本がソ連と連合できれば、日本の立場に配慮してソ連は蔣介石への軍事支援を中止し、蔣介石政権を降伏に追い込み、シナ事変を解決できると考えたのです。何とも甘い見通しだと言わざるを得ません。

日本の官僚は優秀で、しっかりと外交や軍事について考えてくれているに違いないと思っている人が多いですが、戦前も戦後の現在も、優秀な官僚はごく一部に過ぎず、大半は、海外事情をそれほど深く知らずに外交や軍事に携わっていると言わざるを得ません。

ソ連こそ理想を目指す国という誤解

ここまでに見てきたように、外務省、陸軍の一部、そして海軍の一部で親ソ政策が堂々と語られていたのが戦前の日本でした。

それでは、どうして日本は英米を敵視し、ソ連と「連合」しようと考えたのでしょうか。信じられないかもしれませんが、当時の日本には、「日本は植民地支配に苦しむアジアを解放すべきである。そしてソ連こそアジア解放の先駆者である」という「誤解」が広がっていたのです。

この反英米・親ソの対外政策を主導したのが、近衛文麿内閣の私的なシンクタンクとして一九三六年（昭和十一年）に設立された昭和研究会でした。主宰者は近衛のブレーンの一人だった後藤隆之助で、近衛政権が進めた「東亜新秩序」や「大政翼賛会」などに大きな影響を与えました。

総理大臣を目指す政治家は、外交、安全保障、社会保障、経済・金融など、あらゆる課題について政策を打ち出すため、専門家を集めて私的な研究会をつくることが多いのです。あらゆる課題について精通している政治家など存在しませんので、各方面の専門家を集めないと、政府を率いていくことはできません。

近衛政権の政策の基本的に方向性を打ち出そうとした昭和研究会ですが、社会主義的な政策が次々と示されたこともあって後に「共産主義者の巣窟」と呼ばれました（念のために補足しておきますが、昭和研究会に参加していた人たち全員が社会主義に賛同していたわけではありません）。そして、この組織を主導していたのが一九三九年、雑誌『中央公論』に「東亜協同体の理論」という論文を寄稿した蠟山政道《ろうやままさみち》東京帝国大学法学部教授でした。

蠟山教授は一九四〇年（昭和十五年）十一月、海軍のシンクタンクである太平洋協会が朝日新聞社の後援で開催した学術講演会で「大東亜広域圏論」と題した講演を行います。蠟山教授は次のように、大アジア主義という理想を掲げたのはソ連である、と指摘しました。

《地政学的に見て、大アジア主義といふものを民族解放の問題に示唆したのは、むしろモスコウ（ソ連・筆者注）であつた。そのロシヤの大アジア主義といふものを受け取つたのが三民主義の孫文である。孫文の大アジア主義といふものは、大正十二年、我国の神戸において彼が演説した中に現れてをるが、当時の日本は太平洋圏の英米協調に傾いてゐたので、大アジア主義を迎へたものは我が国ではなかつたのである。当時我国はまだまだ大アジア問題を考へるだけの思想的準備もなければ、又それだけの対外政策も持合はせて居なかつた。》

蠟山教授が指摘しているのは、「英米との協調を重んじたばかりに日本は『アジア解放』

の理想を掲げることができず、孫文らを味方にすることにも失敗し、日中関係はこじれてしまった」ということです。

その失敗を繰り返さないためにも、日本は英米に敵対し、ソ連のように「大アジア主義」の理想を掲げていくべきだと示唆しているのです。

イギリスやアメリカに敵対することがアジアの一員たる日本の進路であるかのような風潮が戦前の日本を覆っていたことを理解しておきたいものです。

「鬼畜米英」という言葉を聞いたことがある方も多いと思います。アジアの同胞を植民地支配し、奴隷扱いをしてきた英米諸国は「鬼畜」であり、打倒すべき「敵」である。その英米を打倒するためには、共産主義のソ連とも組むべきだ、といった議論が横行するようになってしまったのです。

こうした議論に対して、いやいや、アメリカもイギリスも一枚岩ではないし、日本にとって最大の脅威はソ連であるはずだ。幸いなことにアメリカには「強い日本派」と「弱い日本派」がいる。ソ連の脅威に対抗するためには、アメリカの「強い日本派」と組むべきだ。冷静にこう唱える人も当時の日本には存在していたのですが、彼らは、アジア解放に反対する「非国民だ」とレッテルを貼られ、糾弾されてしまいました。

いつの時代でも威勢のいい対外強硬論が世論の支持を受け、冷静な国際情勢分析は排除されがちです。

しかし、アメリカの「強い日本派」の存在を無視して、「鬼畜米英」を叫び、ソ連と組もうとした結果、日本はどのような目に遭《あ》ったのか。中国だけでなく、アメリカ、イギリス、そして最後はソ連まで敵にまわして、敗戦に追い込まれてしまったことについて、日本も大いに「反省」したいものです。

第五章

東京裁判は間違いだった？

英米がソ連と組んでナチスを締め上げた様子を描くイラスト（ドイツ・ロシア博物館）

ルーズヴェルトの国際秩序構想の挫折

戦争というのはいかに勝つか、だけでなく、戦争後どうするのかということが極めて重要です。

第二次世界大戦後の国際社会をどうしていくのか。

米英ソら連合国が主導して国際秩序を構築するというのが、ルーズヴェルト民主党政権の世界構想でした。

正確にいうと、「五人の警察官」構想と言って、アメリカ、ソ連、中国（この時点では蔣介石国民党政権のこと）、イギリス、フランスの、この五カ国が世界の警察官として世界の平和を維持する代わりに他の国はすべて武装解除するというのがルーズヴェルトの構想でした。これが現在の国際連合と、国連常任理事国です（当初はフランスを除く、アメリカ、ソ連、中国、イギリスの「四人の警察官」構想でした）。

この戦後秩序構想を実現しようと、ルーズヴェルト大統領がソ連のスターリン、イギリスのチャーチルと話し合いをしたのが一九四五年二月のヤルタ会談でした。

このとき、ルーズヴェルトは「世界の警察官」構想、具体的には国際連合の創設に協力してくれるなら、東欧や満洲、千島はソ連の影響下においてよいということをスターリンと話し合い、スターリンは喜んでこの条件を飲みました。

これをヤルタの密約と言います。現在の北方領土問題の出発点は、このヤルタ密約にあるわけです。このヤルタ密約を含め、ソ連と裏取引し、原爆を投下したことなどを正当化するために「日本こそが世界で最悪の侵略国家である」というプロパガンダを世界中に対してする必要がありました。

これが、アメリカとソ連が主導して行われた東京裁判の基本的な構図です。

これまでの東京裁判の議論というのは、どうしても日米関係だけ、それも日本を弱体化するという文脈だけで語られる傾向が強かったのですが、東京裁判も一つの国際政治なのです。東京裁判をめぐる国際的な構図を念頭に置いておきたいものです。

しかし、このルーズヴェルトの世界構想は日本が負けた後、直ちに破綻しました。ルーズヴェルトは一九四五年四月に急逝《きゅうせい》し、その後、トルーマン副大統領が政権を継承しました。これまで民主党政権は、「日本を打ち負かせばアジアは平和になる」と主張してきたわけですが、実際は日本を打ち負かしてもアジアは平和になりませんでした。

日本の敗戦後、中国大陸では、蔣介石率いる国民党と、毛沢東率いる中国共産党が戦争を始めました。しかも中国共産党が内戦に勝利すると、チベットやモンゴルやウイグルといった周辺国まで中国共産党やソ連の支配下に置かれ、阿鼻叫喚の地獄が始まりました。東欧でもソ連が侵略を開始し、東欧諸国は次々と共産主義陣営に組み込まれていきました。そうした世界の動向を見てアメリカの国民たちは、ルーズヴェルトの言ったことは違うのではないかと思い始めました。日本を打ち負かしてもアジアは平和にならなかった。ルーズヴェルト大統領が言っていたことは正しかったのかと疑問を持つようになったのです。

決定的だったのが、一九四九年十月に中国共産党政府ができ、中国にいたアメリカ人たちが命からがら中国大陸から逃げ出さざるを得なかったことです。朝鮮半島も分断され、北朝鮮が誕生するなど、アジアが次々にソ連圏に組み込まれていく中で、アメリカを中心とした戦勝国、つまり連合国は東京裁判を中止してしまいます。

何故か。ソ連や中国共産党がアジアで侵略をしているのに、東京裁判では「日本こそ侵略国家だ」と批判している。こんな馬鹿馬鹿しいことをしていられるか、ということで東京裁判は閉廷になってしまったのです。

中国共産党政権樹立を受けて、アメリカの対日政策は大きく変更されます。

日本を打ち負かし、弱体化したのに、アジアでは戦争が起こった。戦争とは、力のバランスが崩れることで起こる。そこでバランス・オブ・パワー、日本の軍事力を再度強くすることで「日本を極東における全体主義（共産主義）に対する防壁に」して、中国共産党やソ連の覇権主義に対抗しよう。こう考えてアメリカは対日政策を大転換するのです。これを「逆コース」と言います。

アメリカの対日政策の大転換の結果、警察予備隊、現在の自衛隊が創設され、軍需産業が復活し、サンフランシスコ講和条約で日本の独立が認められたのです。

東京裁判と国際法

こうした対日政策の変更と連動して、歴史認識の見直しが始まります。満洲事変以降のアジア太平洋地域の戦争は「日本だけが悪かった」と決めつけた東京裁判の問題点をアメリカやイギリスの学者や政治家たちが指摘するようになったのです。

そもそも東京裁判には、国際法上、大きな問題がありました。その論点は二つあります。

第一は、日本だけを裁いたのは不公平だ、という議論です。

法は、勝者にも敗者にも平等に適用されて初めて法たり得る。敗者だけ裁くというのは法ではない、東京裁判はリンチである、というのが当時の国際法学者の共通した見解でした。捕虜虐待や非人道的兵器の使用を禁じる戦時国際法に、日本だけでなく、連合国側も抵触していたのに、敗者である日本だけを裁くのは「勝者の裁き」に過ぎず、「裁判」の名に値しない、ということです。実際に東京裁判では、原爆投下は国際法違反であり、その決定を下したアメリカのトルーマン大統領の「罪」も追及されるべきだという意見が出されました。

一方、連合国側の戦争犯罪をきちんと追及すべきではないのか、と疑義を唱えた政治家もいました。例えば、内閣官房長官、枢密院書記官長などの要職を歴任し、第二次大戦中は無任所の閣僚であったイギリス政界の重鎮モーリス・ハンキー卿は当初から戦争裁判に反対し、一九四九年十一月にはイギリスで『Politics, Trials and Errors』(邦訳は『戦犯裁判の錯誤』)を出版しました。その著書の中で、同盟国たるソ連の罪を不問に付することは悪い先例を残すことになったのではないかとして、次のような憂慮を表明しています。

《不戦条約その他の国際条約を侵犯し、隣国に対し侵略戦争を計画し、準備し、遂行し、占領地域の一般住民を虐待し、奴隷労働その他の目的のためにその土地から追放し、個人の財産を掠奪し、軍事上の必要によって正当化されない都市村落の無謀な破壊を行うような罪を犯したことが一見明かな同盟国の政府(例えばソ連)および個人に対しても同じような裁判を行うつもりか。

このような裁判をやらないとすれば（もちろん、やるはずはない）、ニュルンベルグの政策は、敗者に適用する法律は勝者に対するそれとは別物だということを示唆しないか。哀れなるは敗者である！　これは将来の悪い先例とならないか。》

第二は、捕虜虐待などを戦争犯罪とする戦時国際法は存在するが、戦争そのものを犯罪とする国際法は存在しない、という論点です。

東京裁判の根拠となった国際法は、ケロッグ・ブリアン条約です。別名パリ不戦条約と呼ばれるこの条約で、侵略戦争を違法化することを決めました。

自分の国の独立を守るための自衛戦争は「合法」だが、侵略戦争は「違法」であるというコンセンサスをつくったのですが、自衛戦争と侵略戦争とをいかに区別するのか、具体的な定義は定められませんでした。

しかも、侵略戦争を「犯罪」であるとはしていないのです。違法と犯罪とでは全く意味が違います。

パリ不戦条約で合意されたこと

この戦時国際法については、もう少し詳しく説明をしておきましょう。

不戦条約は当初、第一次大戦後の一九二七年、フランスがアメリカに提案し、アメリカのケロッグ国務長官がこれを世界の主要国家間の条約に拡大するよう主張したことに端を発し、その後、関係諸国間に交渉が行われて締結されました。

なぜフランスは不戦条約の締結をアメリカに持ちかけたのでしょうか。

第一次世界大戦後、国際安全保障体制を確立するために国際連盟が結成されたものの、強国アメリカが不参加であったことから、ドイツの台頭に危機感を抱いたフランスが何とかヨーロッパの安全保障体制にアメリカを巻き込もうと考えたのです。

起草者たるアメリカ国務長官ケロッグと仏外相ブリアンの名前をとってケロッグ・ブリアン条約とも呼ばれるこの条約は、第一条において、戦争を実質的な防衛戦争、すなわち自衛戦争(war of self-defense)と、防衛的でない攻撃(侵攻)戦争(war of aggression)とに分けて、後者を違法化しようと試みました。

その第一条には、「締結国は、国際紛争解決の為戦争に訴うることを非とし、且その相互の関係において国家の政策の手段としての戦争を放棄することをその各自の人民の名において厳粛に宣言す」とあります。この不戦条約の趣旨が現行憲法第九条にも引き継がれたと言えましょう。

ここで非難された「国際紛争を解決するための戦争」と、放棄された「国家の政策の手段としての戦争」とは、自衛戦争ではない戦争、すなわち侵略戦争であると解釈されることになりました。問題は、「国際紛争を解決するための戦争」かどうかを誰がどのように判断するのか、ということでした。

この不戦条約の批准に際して、各国の政治家たちが最も不安を感じたのが、この条約によって、自国が行う正当な戦争を他国から「侵略戦争だ」と非難されるのではないかということでした。このため、本条約の起草者であるアメリカ国務長官ケロッグは自国の議員を説得する必要を感じ、一九二八年四月二十八日、アメリカ議会で次のような演説をしています。


《アメリカの作成した不戦条約案中には、自衛権を制限乃至《ないし》毀損するが如き点は少しも存しない。自衛権はすべての独立国に固有のものであり、又あらゆる条約に内在している。各国家はいかなる場合においても、各条約の規定如何にかゝわらず、攻撃もしくは侵略から自国の領土を防衛する自由をもち、自衛のために戦争に訴うる必要があるかどうかは、その国のみがこれを決定し得るのである。正当な理由ある場合には、世界はむしろこれを賞讃し、これを非難しないであろう。》(日本外交学会編『太平洋戦争原因論』)

不戦条約には「国家の政策の手段としての戦争の放棄」を謳っているが、自衛のためならば戦争に訴えてもかまわないし、その必要があるかどうかもその国の判断に任されている。だから、心配をしなくても大丈夫、こうケロッグ国務長官はアメリカの議員たちに訴えたのです。要はこの戦争が侵略戦争かどうかは、自国で判断していいのだ、と言ったわけです。

このケロッグ長官の演説は、アメリカ国内向けのレトリックではありませんでした。ほぼ同じ趣旨の公文を一九二八年六月二十三日付で、アメリカ政府は日本を含む関係諸国に送達しています。その中に次の言葉があります。

《不戦条約のアメリカ案中のいかなる規定も、自衛権をいささかも制限または毀損するものではない。自衛権は、あらゆる主権国家に固有なものであり、あらゆる条約中に暗黙裡に含まれている。各国は、いかなる場合にも、条約規定とは関係なく、自国の領域を攻撃または侵入から防衛する自由を有し、かつ自国のみが、事態が自衛のため戦争に訴えることを必要とするか否かにつき決定する権限を有する。》（青山学院大学総合研究所法学研究センター編『各法領域における戦後改革』）

平たく言えば、アメリカ政府は、自国が行った戦争が自衛戦争か否かは自国で決定することができるとの留保付で「不戦条約」を批准することを各国は了解してほしいと、公文で知らせてきたのです。この解釈に従えば、自らがこの戦争は「侵略戦争だ」と宣言しない限り（そんな自国に不利になるようなことをするわけがないが）、国際法上、他国から「侵略戦争だ」と批判されることはないことになります。

なお、日本政府は一九二八年七月二十日付のアメリカ代理公使宛の覚書の中で、不戦条約に対する日本の解釈がこのアメリカ政府のそれと同一であることを明らかにしています。

自衛か侵略かの認定の問題は「裁判に付し得ない」

また、この「不戦条約」の原加盟国であるイギリス政府も、批准にあたって次のような留保条件をつけることを宣言しました。

《世界には、その福祉と保全とがわが国の平和と安全のために特別かつ死活的な利益を構成する諸地域がある。イギリス政府は、このような地域への干渉が行われてはならないことを明らかにしようと、過去において努力してきた。このような地域を攻撃から守ることは、イギリスにとり自衛措置である。イギリス政府は、新条約はこの点に関する行動の自由をそこなわないという明確な了解のもとに、新条約を受諾するものであることが、明瞭に理解されなければならない。》(『各法領域における戦後改革』)

当時、イギリスは世界中に植民地をもっていたが、その植民地(自国領土の一部)防衛だけでなく、「わが国の平和と安全のために特別かつ死活的な利益を構成する諸地域」——これは直接的にはエジプトのスエズ運河の権益を念頭に置いたものと理解されていますが——を守ることも自衛権の行使とすることを世界各国は了解してほしいと述べたわけです。

この留保条件によって、不戦条約が認めた「自衛戦争」は国土防衛に限定されないと解釈されることになりました。そこで当時の日本政府は、イギリスにとってのスエズ運河と同じく、日本にとって死活的な利益を構成する地域である「満洲その他の地域における権益保護」のために実力を行使することも「自衛」の一環であるとの解釈を採用しました。

しかも、アメリカのケロッグ国務長官は上院外交委員会で証言し、「アメリカ政府は、自衛の問題の決定を、いかなる裁判所であれ、それに委ねることを決して承認しないであろう。また（他国政府も）この点については同様に承認しないであろう」と述べ、交戦国の双方がともに「これは我が国にとっては自衛戦争であり、侵略したのは相手国だ」と主張した場合は、自衛か侵略かの認定の問題は「裁判に付し得ない」法的状況にあることを認めたのです。

こうした各国の留保条件を丹念に検討し、東京裁判において高柳賢三弁護人は、不戦条約の締約国の意思を次のように簡潔にまとめています。

《（1）本条約は、自衛行為を排除しないこと。

（2）自衛は、領土防衛に限られないこと。
（3）自衛は、各国が自国の国防又は国家に危険を及ぼす可能性ある如き事態を防止するため、その必要と信ずる処置をとる権利を包含すること。
（4）自衛措置をとる国が、それが自衛なりや否やの問題の唯一の判定権者であること。
（5）自衛の問題の決定は、いかなる裁判所にも委ねられ得ないこと。
（6）いかなる国家も、他国の行為が自国に対する攻撃とならざる限り、当該行為に関する自衛問題の決定には関与すべからざること。》（『太平洋戦争原因論』）

ところが、東京裁判において検事側は、不戦条約をほとんど唯一の根拠として、「侵略戦争は違法」とし、日本の戦争が「侵略戦争であるかどうか」を裁判で認定する権限は連合国側にのみあり、「自衛権の発動は、相当に予想される武力的領土侵入の場合に対してのみ許されるのであって、武力包囲とか、いわんや経済包囲に対して許されるものではない」と主張したのです。

この主張がアメリカ国務長官ケロッグ、英外相ブリアンの解釈と真っ向から対立することは言うまでもありません。不戦条約を踏まえるならば、日本にとって死活的な権益の存在する「満洲」を実力で守り、かつ、連合国の武力的経済的包囲網によって国家に危険を及ぼす事態となったと判断して、戦争に訴え、その行動を自ら「自衛戦争」であると解釈する権限を、日本は有していたと判断すべきだったのです（満洲事変について政治的にどう判断するのかは別として、国際法に基づけば、満洲事変も自衛戦争だと主張できるということです）。

よって不戦条約をめぐる連合国側と日本側のそれぞれの主張を厳密に検討したうえで、インドのパール判事は、検事側の主張を斥けて次のように述べたのです。

《ある戦争が、自衛戦であるかないかという問題が依然として、裁判に付することのできない問題として残され、そして当事国自体の「良心的判断」のみにまつ問題とされている以上、パリ［不戦］条約は現存の法律になんら付加するところがない。》（東京裁判研究会編『共同研究 パル判決書（上）』）

日本人は法律、特に国際法は苦手な方が多い（そもそも国際法について学校教育ではほとんど習わないので、正確に言えば、国際法について何も知らないというべきか）ですが、国際社会では、法律、国際法をより深く知っていた方が圧倒的に有利です。

永田町で仕事をしているときも、法律の条文と、その有権解釈（権限のある機関によって行われる法の解釈）と、判例（裁判所の判決）の三つを踏まえて、行政についてあれこれと判断をすることになります。「自分は、あの行為は違法だと思う」と個人的な意見を述べたところで、それはなんの価値もありません。政治の現場で勝とうと思うのならば、法律と解釈、判例を詳しく知って、法律を使いこなす知識が必要なのです。

同様に国際社会で勝とうと思うならば、国際法の条文とその解釈、判例などを詳しく知ることが必須です。そして、先の戦争が「侵略戦争かどうか」を判断するに際して、パリ不戦条約の条文とその解釈を知らずに、ただなんとなく「侵略戦争だと思う」と述べると、それは「ああ、この人は国際法について何も知らない、単なるバカなんだなぁ」と、思われるだけであることも知っておいた方がいいと思います。

マッカーシーの告発とその失敗

さて、敗戦直後の話に戻りましょう。

東京裁判に対する国際法上の見直しと連動して、もっと大きな議論がアメリカで行われていました。

「日本を打ち負かしたルーズヴェルト外交は間違っていた」という議論が始まったのです。ロバート・タフトという共和党を代表する著名な政治家が一九四六年、「民主党がヤルタで、ポツダムで、ロシアに迎合する政策を推進し、その結果、東欧とアジア全体にわたる多くの国家と何百万人という人々の自由を犠牲にした」としてルーズヴェルト民主党外交は間違いだと主張したのです。

その二年後の一九四八年には、ホイッタカー・チェンバース（『タイム・マガジン』の記者）が「ルーズヴェルト大統領の側近としてヤルタ会談に参加した国務省高官のアルジャー・ヒスはソ連のスパイだった」と告発したのです。アルジャー・ヒスはアメリカ代表として国際連合をつくった人間です。

ソ連の指示で対米工作をしてきたこのチェンバースの告発によって、ルーズヴェルトの対日圧迫外交は、ルーズヴェルトの個人的な反日感情から行われているのではなく、ソ連のスパイによって操られていたのではないのか。ルーズヴェルトは外交政策を間違えたのではなく、ソ連に迎合した売国奴ではないのかという議論が生まれたのです。

第二次世界大戦は、ナチス・ドイツや日本などの「ファシズム国家」から、「自由と民主主義」を守る戦いであったはずでした。ところが、世界大戦が終了すると、ヨーロッパの東半分は、ソ連の支配下に落ち、ソ連と共産党による人権弾圧に苦しむことになりました。

中国大陸では、中国共産党政権が生まれ、アメリカのキリスト教徒たちは迫害され、命からがらアメリカに帰国していました。中国大陸をキリスト教化しようと百年近くにわたって中国各地に教会、大学を建設してきましたが、それらの財産はすべて共産党によって奪われてしまったのです。そして一九五〇年六月には朝鮮戦争が勃発し、多くのアメリカの青年たちが再び戦死することになったのです。

なぜヨーロッパとアジアで同時に、共産党が台頭するのか。ルーズヴェルト、トルーマン民主党政権に入り込んだソ連、共産主義のスパイたちのせいではないのか。そうした疑問がアメリカ内にあふれ、それが国際共産主義に対する過剰な反発、恐怖へと変わっていったのです。

当時のアメリカの雰囲気を米エモリー大学教授ハーヴェイ・クレアらはこう説明しています。

《1950年代はじめに、反共主義は最高潮に達した。ソ連は東ヨーロッパ支配を固め、核超大国となり、中国も共産主義勢力の手に落ち、五万四千人のアメリカ兵が朝鮮に侵入してきた共産軍と戦って死んだ。ヒスおよびローゼンバーク夫妻のスパイ事件で引き起こされた憤激は、海外で共産主義が躍進していることへの怒りや恐れと結びついて沸騰し、デマゴーグや偽善者やいかさま師が反共感情を彼ら自身のいかがわしい目的のために利用することも可能な雰囲気ができあがっていた。》（ハーヴェイ・クレア、F．I．フィルソフ、ジョン・アール・ヘインズ著『米国共産党とコミンテルン――地下活動の記録』）

こうした反共感情を、党利党略、つまり政権与党であった民主党への攻撃に使ったのが、共和党のジョセフ・マッカーシー上院議員（共和党）でした。一九四八年より一九五〇年代前半にかけてマッカーシー上院議員らは、米国共産党員および共産党シンパと見られる政治家、官僚（アルジャー・ヒス《偽証罪》、ハーバート・ノーマン《自殺》）、学者（T・A・ビッソン）、ジャーナリスト（アグネス・スメドレー《ロンドンに逃亡し急死、北京に埋葬》）の政治責任を追及したのです。

《マッカーシーにとって、反共主義はニューディール派、リベラル派、民主党を反逆罪に巻き込むためのゲリラ的武器であった。彼は、誇張されたり、ゆがめられたり、時には全くのでたらめの証拠を使って、数百人を共産主義活動の罪で告発しているが、その中で、彼の政治的な目的に適っていれば、明らかに有罪と思われる人間と並んで無実の人間を含めることさえ無頓着に行った。共産主義に対する反感が当時は強かったため、マッカーシーや彼と同等の人物によるデマゴーグ的発言にも数年の間は聴衆が付き従っていた。》(『アメリカ共産党とコミンテルン』)

反共ヒステリーとも呼ぶべき世論を追い風に、マッカーシー上院議員は一九五〇年、しっかりした証拠もないままに、ルーズヴェルト「民主党」政権のもとで親ソ政策に携わったとされる、数百人もの人々を共産党員、ソ連のスパイだと決めつけ、政治的につるし上げたのです。

世論が激高すると、冷静な判断が通用しなくなってしまいます。敗戦後の日本も、「復讐」感情にとらわれた連合国によって、多くの軍人たちが「冤罪」によって処刑されました。

このように熱しやすく冷めやすい世論の暴走によって特定の人物を犯罪者、スパイ扱いすることは、人権侵害、冤罪を生むことになりかねません。特にスパイ活動については、政治的な判断が加わっていることになるので、なおさら慎重な判断が求められます。しかし、マッカーシー上院議員は、そうした慎重さに欠けていました。

実はルーズヴェルト民主党政権のもとで警察組織であるＦＢＩ（アメリカ連邦捜査局）は、ソ連に対して好意的な発言をしている政治家や学者、官僚たちの電話を盗聴するなど、ソ連のスパイ活動について調査をしていました。恐らく、マッカーシー上院議員はこの盗聴記録を見て、ルーズヴェルト民主党政権の側近たちにソ連のスパイがいることを知ったのでしょうが、アメリカの裁判制度では、盗聴記録は裁判の証拠になりません。そのため、ソ連のスパイと名指しをされた人たちが、マッカーシー上院議員を名誉棄損で逆提訴したのです。そして裁判では、ＦＢＩの盗聴記録を証拠として提出できず、スパイであることを立証できなかったため、マッカーシー上院議員は裁判で負けてしまいました。

かくしてマッカーシーの告発は失敗し、「特定の人物を共産主義者、ソ連のスパイと決めつけることは人権侵害だ」とする風潮が生まれてしまったのです。

米エモリー大学教授ハーヴェイ・クレアらもこう嘆いています。

《この時代の行き過ぎは幾つかの反動を生み出した。マッカーシーは繰り返し品性を欠いた言動を行ったとして上院において同僚から叱責され、動きを封じられた。乱用された反共的な法律の多くは、裁判所で無効と判断された。また立証されていない告発を勝手に押し付けたり、関連性だけで有罪と決めつけたりする「マッカーシズム」は道義的に間違いであり、この言葉は政治的な非難の対象とされるべきであるというコンセンサスができあがった。》(『アメリカ共産党とコミンテルン』)

アメリカの保守系シンクタンクであるヘリテージ財団で研究員の方とマッカーシーのことについて話をしたことがありますが、マッカーシーの告発には正しい部分もあったが、そのやり方があまりにも杜撰《ずさん》であったと、一様に厳しい評価をしていました。

それは、クレア教授も指摘しているように、マッカーシズムへの反発から、国際共産主義、米国共産党に関する学術的な研究をすることも「人権侵害だ」とする風潮が生まれてしまったからです。マッカーシーの杜撰な追及のためにアメリカでは国際共産主義、米国共産党の問題点について研究することそれ自体が白眼視されてしまったのです。

その結果、マッカーシー上院議員の主張は嘘だという話になってしまいました。ルーズヴェルト外交がソ連に操られていたのではないかという論点も立ち消えになってしまいました。

しかも、ソ連・コミンテルンのスパイ活動や共産主義の問題を追及することは人権侵害にあたり、追及すべきではなかったし、そもそも証拠がない以上、追及も無理だという形になり、歴史学的な議論はなされなくなってしまったのです。一九四〇年代後半から五〇年代初頭にかけて起こった近現代史見直しの動きを、私は、アメリカにおける第一次近現代史見直し運動とその挫折と名付けています。

なお、現在、日本でも近現代史に関して、確たる証拠もないままに状況証拠だけで特定の人物を共産主義者、ソ連のスパイだと決めつける議論が見受けられます。こうした安易な議論が横行してしまうと、状況証拠だけで特定の人物をスパイ扱いするような、恐ろしい人権侵害がまかり通る恐れがあります。現に東京裁判では、とにかく敵国の日本は悪いに決まっているという復讐心に引きずられて、日本は「侵略国家」というレッテルを貼られてしまったわけです。

近現代史の評価というものは、状況証拠と一時の感情で行うべきものではなく、あくまで国際法と裁判闘争に耐えうる証拠に基づいて行いたいものです。

いわゆる東京裁判でレッテル貼りされた「日本は侵略国家論」に異議を差しはさむような意見を述べると、国際社会で非難されるという意見を言う方がいます。

確かに、感情的に過去の日本を非難する人が中国や韓国などに多いことは事実です。

しかし、ある程度、国際法や近現代史について理解がある方は、ここで述べたような経緯を知っていて、「近現代史の評価というのは、ある程度、年月が経って、様々な事実関係が判明したのちに定まるものであって、拙速な評価は慎むべきだ」と考えていることを知っておきたいものです。

第六章

ヴェノナ文書と米国共産党調書

NATIONAL SECURITY AGENCY CENTRAL SECURITY SERVICE
Defending Our Nation. Securing The Future.
HOME ABOUT NSA ACADEMIA BUSINESS CAREERS INFORMATION ASSURANCE RESEARCH PUBLIC INFORMATION COMMITMENT
SEARCH
Public Information
Press Room
Latest NSA News
Speeches & Testimonies
Freedom of Information Act
Declassification Initiatives
Pre-Publication Review
What's New on NSA.gov
Contact Information
VENONA
The U.S. Army's Signal Intelligence Service, the precursor to the National Security Agency, began a secret program in February 1943 later codenamed VENONA. The mission of this small program was to examine and exploit Soviet diplomatic communications but after the program began, the message traffic included espionage efforts as well.
Although it took almost two years before American cryptologists were able to break the KGB encryption, the information gained through these transactions provided U.S. leadership insight into Soviet intentions and treasonous activities of government employees until the program was canceled in 1980.
The VENONA files are most famous for exposing Julius (code named LIBERAL) and Ethel Rosenberg and help give indisputable evidence of their involvement with the Soviet spy ring.
The first of six public releases of translated VENONA messages was made in July 1995 and included 49 messages about the Soviets' efforts to gain information on the U.S. atomic bomb research and the Manhattan Project. Over the course of five more releases, all of the approximately 3,000 VENONA translations were made public.
Monographs
Chronology
Dated Documents
Undated Documents
"Remembrances of VENONA" by Mr. William P. Crowell

ヴェノナ文書を公開しているアメリカ国家安全保障局の公式サイト

モスクワで公開された「リッツキドニー文書」

前述したように、マッカーシズムの反動から、アメリカにおいてルーズヴェルト民主党政権とソ連との関係に関する研究は、白眼視されるようになってしまいました。ルーズヴェルト民主党政権にソ連のスパイが入り込んでいて、アメリカの対外政策を歪めたのではなかったのか、という観点の研究はタブー視されてしまったのです。

アメリカで、いわゆる国際共産主義研究が一定の市民権を得るようになったのは、一九九一年にソ連邦が解体した後です。

それまで国際共産主義に関する研究は、元米国共産党員の証言やFBIなどによる調査報告書などに基づいて行われていて、ソ連側の公文書を利用することができませんでした。ソ連側が情報を公開しないので、なかなか研究が進まなかったのです。

アメリカを始めとする民主主義国家では「三十年ルール」と言って、国家機密に関わる公文書も三十年が経つと、原則として公開することにしています。

例えば、奈良岡聰智《そうち》京都大学教授は次のように指摘しています。

《欧米先進諸国では、作成後30年たった重要公文書を国立公文書館で永久に保存し、原則公開するという「30年ルール」が定着している。公文書を作成直後に公開するには様々な支障があるが、30年＝おおむね一世代が経過するとハードルはぐんと下がる。欧米先進諸国には、30年が経過すれば、政府は重要公文書を原則公開するという信頼感があるように見受けられる。

最近はその期間が縮小される傾向にある。英国では10年の法改正で30年ルールが「20年ルール」に改められ、現在は23年の全面施行に向けた移行期間となっている。（中略）もっとも英国や米国でも、あらゆる文書が公開されるわけではない。英国では、外交・安全保障、王室や個人情報などに関係する文書には、公開されないものもあることが法律でルール化されている。作成から数十年を経た歴史的公文書であっても、情報公開請求に対して非開示の回答は珍しくない。「公開するのも、公開しないのも、公益だ」という判断なのである。》（二〇一八年八月二十九日付日本経済新聞デジタル）

時の政府が国益のために、国民に知らせずに秘密の外交や軍事作戦を実施することがあるが、その秘密の外交、軍事作戦についても三十年が経った段階で公開し、その是非について国民の審判を仰ぐことが民主主義だと考えているからです（その意味で、日本はそもそも公文書を保管するルールも十分に確立しておらず、情報公開制度も不十分であり、アメリカ流の民主主義国家とはとても言えない)。

一方、共産党による一党独裁を掲げ、民主主義国家ではないソ連は、機密に関わる公文書を一切公開しようとしませんでした。そのため、国際共産主義とソ連との関係についての研究も資料的な制約があって、困難を極めていました。

幸いなことに一九九一年にソ連邦が崩壊し、ロシアのボリス・エリツィン政権時代に、ソ連、国際共産主義の対外工作に関する文書が「ロシア現代史文書保存・研究センター」において公開されるようになったのです。

いわゆるリッツキドニー文書の公開によって、ソ連の対米秘密工作の実態がようやく判明するようになりました。

「ロシア現代史文書保存・研究センター」において、アメリカの著名な歴史学者であるハーヴェイ・クレア(エモリー大学名誉教授)とジョン・アール・ヘインズ(連邦議会史料部「二十世紀政治史担当主任歴史官」)が米国共産党に関する秘密文書を発見したときの様子はなかなか劇的です。

《我々が「リッツキドニー」に通うようになってしばらくした時、ある文書館員が我々に対し、「もしかしたら、あなた方は米国共産党（CPUSA）の文書にも関心があるのでは？」とたずねてきた。我々にとって、そもそも、モスクワに米国共産党のオリジナル文書が存在している、ということ自体が驚くべき新発見だった。というのも、アメリカ国内には、そんな文書類はなかったからである。たしかに我々歴史家の間では、冗談で「米国共産党の文書はモスクワに隠されているんだ」といってはいたが、まさかそれが本当だったとは、誰も思ってもみなかったのである。米国共産党が、そこまで完全にソ連の支配体制の一部に成り下がっていたとは想像もしていなかったからだ。

文書館のスタッフの説明によると、米国共産党文書は、ソ連時代、ほとんど誰も閲覧する者がなかったので、遠く離れた倉庫に収納されている、とのことだった。しかし、彼らの言う「米国共産党文書」なるものに、はたして党本部のファイルまで含まれているのだろうか。もしかしたら、ごくわずかの米国共産党からの報告書と同等の機関紙である『デイリー・ワーカー』の黄ばんだ古新聞くらいのことではないか、と我々は疑っていた。ところが、倉庫から取り寄せたその文書が「リッツキドニー」の閲覧室に届き、その「ごく一部だけ」だといわれるものが、いくつもの台車に積まれて運ばれてきた量を見て、我々は本当に腰を抜かした。結局、それは全部で四三〇〇以上のファイルに上ることがわかった。

そこで早速、我々はフォルダーの上にたまった部厚いホコリを吹き払って、くくってあったフォルダーのリボンを解き、中にある文書を調べ始めた。ロシア人のスタッフが言った通り、それらは米国共産党文書のオリジナルだったのであり、ずっと以前に極秘裏にアメリカからモスクワに運ばれてきたものだった。》（ジョン・アール・ヘインズ、ハーヴェイ・クレア著、中西輝政監修『ヴェノナ　解読されたソ連の暗号とスパイ活動』二〇一九年、扶桑社）

一九九五年、クレアたちはこのリッツキドニー文書を使って『アメリカ共産党とコミンテルン』を発刊し、国際共産主義研究に一石を投じました。その同じ年、もう一つ、国際共産主義運動の実態を解明するうえで重要な文書が、アメリカ政府の国家安全保障局（NSA）、連邦捜査局（FBI）、中央情報局（CIA）によって公開されました。それがヴェノナ文書です。ヴェノナ文書というのは、一九四〇年から一九四四年にかけて在米のソ連のスパイたちが本国と暗号電文でやりとりしていたものを、当時のアメリカ陸軍が傍受し、ＦＢＩやイギリス情報部の協力を得て解読した三千頁もの機密文書群のことです。

リッツキドニー文書からヴェノナ文書公開へ

この「ヴェノナ文書」が公開された経緯もなかなか劇的です。

クレアとヘインズは『ヴェノナ』において、その経緯をこう紹介しています。

クレアたちは、リッツキドニー文書について研究を進めていくなかで、アメリカで「ヴェノナ作戦」なるものが存在した可能性があることに気づき、その著『アメリカ共産党とコミンテルン』において触れました。一九九四年の時点では、ヴェノナ作戦は当然のこと、ヴェノナ作戦を実施していた国家安全保障局の存在さえ、一般には全く知られていなかったのです。

一九九五年の初頭、クレアたちは、民主党のダニエル・パトリック・モイニハン上院議員から電話をもらいました。

モイニハン上院議員は「いまや冷戦が終わったのだから、冷戦中に行われたアメリカ政府による諜報活動に関する機密保持や情報秘匿の体制は大幅に見直されるべきである」という信念を抱いて、アメリカ連邦議会下院に政府機関による対ソ情報収集活動を調査する

「政府機密の保全と公開に関する特別調査委員会」を一九九五年に設立し、自らその委員長に就いていたのです。

『アメリカ共産党とコミンテルン』を読んだモイニハン上院議員は、「特別調査委員会に来て、政府の機密保全の在り方について証言してほしい」と、クレアたちに要請したのです。

《そこで我々は一九九五年五月に開かれた委員会に出席し、上述の著書で明らかにした多くの事実について説明したわけである。その中で、我々は「ヴェノナ」の存在を暗示していると思われるソ連の文書があることについて触れ、委員会のメンバーに対して、「今日アメリカの学者が、かつてアメリカ内にいたソ連のスパイによってモスクワに向けて発信された通信文を、ロシア政府によって公開された文書でしか見ることができず、それを解読した文書がアメリカにあるのに、それらはいまだに非公開でアメリカ人でも見ることができないというのは、大変おかしな話で皮肉としか言いようがない」と証言した。「今や冷戦は終わったのであり、それらの解読文も四十年以上も前のものなのだから、アメリカ政府がそれらをいまだに秘密にしているのは理に適わないことだ」と強く主張したのである。》（『ヴェノナ』）

米国共産党の研究に取り組み、モスクワにも何度となく通って調査と研究をしてきたクレアたちの言葉は、委員会のメンバーに響いたようです。

モイニハン上院議員は彼の右手に座っていたCIA長官でアメリカのインテリジェンス活動全般を調整する立場にもあったジョン・ドイッチェのほうへ向き直り、NSAと話し合って現在、「ヴェノナ作戦」に関する文書がどのように扱われており、今後も秘匿を続ける必要があるかどうか、十分に検討してほしい、と注文したのです。

実は当時、NSA内部でも何人かの人物が「ヴェノナ文書」の公開に踏み切るべきだと唱え始めていました。その理由は、いくつか存在しました。

第一に、「ヴェノナ作戦」は一九八〇年に終結していました。文字通り「歴史」になっており、公開したところで、アメリカの諜報活動に支障をきたす恐れはありませんでした。

第二に、「ヴェノナ」の解読文を公開すれば、これまでFBIやCIA、あるいはNSAが総力を挙げて解明しようとしてもできなかった、カバーネームだけで「ヴェノナ」に登場する人物の本名も、職業的な防諜担当官とは違った観点をもつ歴史家やジャーナリストたちなら解明できるかもしれないから、ということでした。

第三に、初期の「ヴェノナ作戦」に加わった関係者たちが、「(ソ連が)絶対に解読されないと信じていた強固な暗号を破った関係者の驚くべき功績を、自分たちが死ぬ前に公にしてほしい」と願ったというものでした。

第四に、モイニハン上院議員に対する対抗措置です。モイニハン上院議員が当時、議会を説得して、政府の機密事項を大幅に削減するよう強制的に命じる法案を通そうとしていました。当時の防諜・対諜報部門の高官は、今もし四十年以上経っている「ヴェノナ」の機密を進んで公開することをためらったなら、議会は自分たちを極めて頑固でどうしようもない連中だと見なし、遥かに徹底した機密公開を義務づける法案を成立させることになるかもしれない、と恐れたのです。

以上のような判断から、一九九五年七月十一日、CIAは公の式典を開催し、「ヴェノナ」の記録が今後、順次公開されることになった、と宣言しました。

この「ヴェノナ文書」を精査した「政府の機密守秘に関するモイニハン委員会」は一九九七年に出した「最終報告書」(REPORT of the COMMISSION ON PROTECTING AND REDUCING GOVERNMENT SECRECY, 1997, Appendix A 6. The Experience of

The Bomb）でこう指摘しています。

《第一の事実は、顕著な共産主義者の共同謀議がワシントン、ニューヨーク、ロサンジェルス（引用者註、ハリウッド、つまり米映画界のこと）で実施されていた。》（拙訳）

ヴェノナ文書を精査したアメリカ連邦議会「政府の機密守秘に関するモイニハン委員会」は、戦前から戦時中に《顕著な共産主義者の共同謀議がワシントン、ニューヨーク、ロサンジェルスで実施されていた》ことを認めたわけです。

かくしてマッカーシズムの暴走への反発から滞っていた国際共産主義研究は、連邦議会の後押しを受けて再開されることになりました。クレアとヘインズという二人の学者の執念が、アメリカ連邦議会と政府を動かし、国際共産主義研究を再び「学問」として復活させたわけです。

アメリカ以外も機密文書を公開

ヴェノナ文書が公開されたことで、ルーズヴェルト民主党政権の中にソ連のスパイや協力者がいたことが確定し、アメリカの知識人層に大変な衝撃を与えました。

このヴェノナ文書は現在、アメリカ政府の国家安全保障局のホームページですべて公開されています。しかもこのヴェノナ文書をどう読んだらいいのかという解説が、世界最大のインテリジェンス機関であるCIAのホームページに掲載されています。

歴史の新資料が発見されたという記事がよく出されますが、このヴェノナ文書は、一民間人が発掘した資料ではありません、アメリカ政府として公開したきちんとした政府文書なので、その影響の大きさは民間人の資料発掘とは訳が違います。

情報公開は、アメリカだけではありません。

日本も、村山富市自社さ内閣のとき、日本が「戦争犯罪」をした証拠を世界中に公開すべきだということで二〇〇一年に国立公文書館の中にアジア歴史資料センターが開設され、戦前・戦中の機密文書を情報公開しました。

村山富市総理たちは、戦前・戦中の機密文書を公開すれば、日本がどんなひどいことをしたのかがわかるだろうと思ったようですが、結果は逆になりました。日本がいかに国際法を守り、軍紀を守って戦っていたのかがはっきりしてきたわけです。

これ以外にもイギリスや台湾、中国共産党政府などが一部、機密情報を公開するようになってきていて、国際社会の中で、第二次近現代史見直し運動が起こっています。

では、具体的にどのような見直しが始まったのでしょうか。

ソ連のリッツキドニー文書、そしてアメリカのヴェノナ文書が公開されたことで、第二次世界大戦当時、アメリカの同盟国であったソ連が百人単位の規模でアメリカにスパイを送り込んでいたことが確定しました。

ルーズヴェルト政権で財務省高官だったハリー・デクスター・ホワイトがジュリスト、もしくはリチャードというコードネームを持つソ連のスパイであることも明確になりました。彼は、いわゆるハル・ノートの原案をつくった人物です。また、ソ連はアメリカの原爆プロジェクトであるマンハッタン・プランの関係者の中にも、ソ連のスパイを送り込んでいて、アメリカの原爆開発についての情報を入手していたことも明らかになりました。

こうした事実はあくまでも氷山の一角で、恐らく今後、研究が進むにつれて、ルーズヴェルト「民主党」政府内部で暗躍したソ連のスパイたちが国際政治にどのような影響を与えたのか、更に明確になってくると思います。

「インテリジェンス・ヒストリー」という知的武器

「いやいや、ソ連のスパイとか工作員の暗躍はあったかもしれないが、それは謀略論ではないのか」という疑問を持つ方も多いと思います。

工作員やスパイ、秘密工作などというとスパイ映画をイメージする人もいるかもしれません。つまり、それらは絵空事である、ということです。なぜなら一般的な学校で使われる歴史教科書にはそういったことが何も書かれていないからです。

確かに日本では、工作員やスパイ、あるいは秘密工作というものが、まともな学問あるいは研究の対象として扱われない傾向にあります。しかし欧米諸国では、国際政治学、外交史の一分野として、スパイおよび工作員による秘密工作について論じる学問が成立しています。

この学問を「インテリジェンス・ヒストリー」と言います。日本語に訳せば「情報史学」です。

インテリジェンス・ヒストリーという学問は一九八〇年代のイギリスに始まり、機密文書の公開という世界的な潮流の中で注目を集めて、一九九〇年代以降、欧米の主要大学で情報史やインテリジェンス学の学部・学科あるいは専攻コースが次々と設けられるようになりました。

インテリジェンス・ヒストリーという学問の存在を私に教えてくださったのは、京都大学の中西輝政名誉教授です。名著『大英帝国衰亡史』（ＰＨＰ研究所、一九九七年）で知られる国際政治学者および歴史学者です。

中西名誉教授はインテリジェンス・ヒストリーという学問について、二〇一七年に行った私との対談の中で次のように述べています。

「インテリジェンスは『知性』という意味でもあります。日本ではインテリジェンスは秘密情報を扱うとか、単なる情報の話にされてますけど、本来はきちんとしたモノの見方、考え方、世界観、価値観、歴史観、自分の知的な立脚点をもう一度持って、『これで本当に正しいのか』という問いかけを絶えず行う、自分を確立した人間が扱えるものです」

より厳密にいうと、「インテリジェンス」について中西輝政名誉教授は、オックスフォード大学のマイケル・ハーマン教授の定義を引用しながら、次の三つの意味があることを説明しています（『情報亡国の危機』東洋経済新報社）。

第一に、インテリジェンスとは、国策、政策に役立てるために、国家ないしは国家機関に準ずる組織が集めた情報の内容を指す。いわゆる「秘密情報」、あるいは秘密ではないが独自に分析され練り上げられた「加工された情報」、つまり生の情報（インフォメーション）を受けとめて、それが自分の国の国益とか政府の立場、場合によると経済界の立場に対して、「どのような意味を持つのか」というところまで、信憑性を吟味したうえで解釈を施したもの。

第二に、そういうものを入手するための活動自体を指す場合もある。

第三に、そのような活動をする機関、あるいは組織つまり「情報機関」そのものを指す場合もある。

そして、中西名誉教授は、このインテリジェンスが担当する分野は、大まかに言えば、次の四つであると説明しています。

第一は、情報を収集すること。これは相手の情報を盗むことも含まれている。

第二は、相手にそれをさせないこと。つまり防諜や「カウンター・インテリジェンス」

という分野である。敵ないし外国のスパイを監視または取り締まることで、その役割は普通の国では警察が担うことになる。

第三は、宣伝・プロパガンダだ。プロパガンダには、「ホワイト・プロパガンダ」と「ブラック・プロパガンダ」があるといわれる。前者は、政策目的をもってある事実を知らしめる広報活動を指す。それに対して後者は、虚偽情報などあらゆる手段を使って相手を追い詰めていく活動だ。いわゆる完全な外交工作ゲームである。

第四は、秘密工作や、旧日本軍の言葉でいえば「謀略」行為を行うことだ。ＣＩＡはこれを「カバート・アクション」と呼び、ロシアでは「アクティブ・メジャー（積極工作）」と称することがある。

要は、インテリジェンスには、以上の三つの意味と四つの分野があるわけです。

そしてこのインテリジェンスを踏まえた近現代史研究であるインテリジェンス・ヒストリーの学部や学科、専攻コースを設置して本格研究を進める動きは英語圏にとどまらず、オランダ、スペイン、フランス、ドイツ、イタリアなどにも広がっています。けれども、なぜか日本だけはこうした世界的動向から取り残されているのです。

中西輝政先生らの懸命な訴えにもかかわらず、残念ながら日本のアカデミズムの大勢は、こうした新しい動きを無視しており、インテリジェンスに対する理解も一向に深まりません。

そこで、こうした世界の動向を紹介すべく二〇一六年、『アメリカ側から見た東京裁判史観の虚妄』（祥伝社新書）を上梓しました。この本において、アメリカは一枚岩ではなく、ルーズヴェルト民主党政権の対外政策とソ連の秘密工作との関係について、当時野党であった共和党の政治家たちが厳しく批判していた事実を紹介しました。

その続編として二〇一七年に『日本は誰と戦ったのか』（KKベストセラーズ。二〇一九年にワニブックスから新書版を発行）を上梓しました。この本は、著名な政治学者であるスタントン・エヴァンズと、インテリジェンス・ヒストリーの第一人者であるハーバート・ロマースタインによる共著『Stalin's Secret Agents（スターリンの秘密工作員）』を踏まえたものです。

エヴァンズらが書いた原著は、日米戦争を始めたのは日本であったとしても、その背後で日米を戦争へと追い込んだのが実はソ連・コミンテルンの工作員と、その協力者たちであったことを指摘しているのです。

米国共産党調書

実は、ルーズヴェルト民主党政権の中にソ連のスパイが入り込んで、アメリカの外交を歪めているのではないかという問題意識を、当時の日本政府、正確に言えば外務省と内務省は持っていました。

しかも、そうした問題意識に基づいてルーズヴェルト政権の内情を徹底して調査し、詳細な報告書まで作成しています。細かい報告書も含めればかなりの数となるのですが、ある程度まとまった報告書だけでも四つ存在します。

①『アメリカにおける共産主義運動』内務省警保局保安課、昭和十一年、二十八頁

②『アメリカにおける共産主義運動』外務省アメリカ局第一課、昭和十二年、百三十二頁

③『当地方における支那側宣伝に関する件』外務省在ニューヨーク総領事　若杉要、昭和十三年、三十四頁

④『米国共産党調書』外務省アメリカ局第一課、昭和十六年、二百八十六頁

当時の日本外務省や内務省は、アメリカは一枚岩ではなくて、ルーズヴェルト民主党政権の背後にソ連のスパイたちがいるのだから、ルーズヴェルトの反日外交に過剰反応してアメリカ全体が反日だと思い込むのは危険だと懸命に訴えました。その中心的な人物は、『米国共産党調書』などをまとめあげた在ニューヨーク総領事の若杉要氏です。

その奮闘ぶりについては『日本外務省はソ連の対米工作を知っていた』（育鵬社）を書き、『米国共産党調書』の現代語訳（育鵬社）も発刊していますので、ご関心のある方はぜひ、ご一読ください。

当時の話に戻りますが、これらの報告書はすべて機密文書でした。極秘扱いされていた

在長春日本領事館時代の若杉要氏（提供：若杉真暉氏）

ため、日本政府の一部高官しか読むことができませんでした。しかも当時の近衛内閣も陸軍も、こうした意見に耳を傾けようとはしませんでした。

せっかく対外情報分析が優れていても、そうした情報分析を活用するトップ、指導者がいなければ、なんの役にも立たないのです。そもそも当時の近衛内閣や陸海軍には、リヒャルト・ゾルゲ（ドイツ人ジャーナリスト）とその協力者たち、つまりソ連のスパイたちが入り込んでいて、親ソ派の軍人や官僚たちもかなり存在していました。

仮に外務省のこれらの報告書が機密扱いされずに、当時の新聞社や政治家たちの目に触れていれば、或いは、違った展開になっていたかもしれません。そう考えると、なんでも機密扱いをすることが本当に国益に適うことなのか、という点も深く考えておくべきことだろうと思います。

日米の対立を煽り、敗戦革命を引き起こせ

それでは、ルーズヴェルト民主党政権にスパイを送り込んだソ連は、何を考えていたのでしょうか。その目的はなんだったのでしょうか。

ソ連の指導者レーニンは一九一九年、世界共産化（世界中で共産主義革命を引き起こす

こと）を目指して、世界各地に共産主義の秘密工作を仕掛けるための世界的な組織としてコミンテルンを創設しました。コミンテルンは、共産主義インターナショナルとも呼ばれ、組織としては一九四三年に解散しました。

では、どうやって世界各国に共産主義の国をつくるのか。レーニンのすごいところは、世界各国に共産党をつくり、共産主義というイデオロギーを広めるだけでは、世界の共産化はできないことを理解していたことです。

共産主義というイデオロギーを一般大衆に広めることは重要だが、それ以上に重要なことは、資本主義国家同士の反目を煽って戦争を引き起こし、一方の国を敗戦に追い込み、その混乱に乗じて一気に権力を奪うことだという戦略を打ち出したのです。これを「敗戦革命論」と言います。

そして、この敗戦革命の工作対象となったのが、日本であり、アメリカであり、中国でした。日米両国の対立を煽って日米戦争へと誘導し、日本を敗戦に追い込み、共産革命を引き起こす戦略をとっていたのです。

そこで一九一九年、コミンテルン・アメリカ支部として「米国共産党」を設立します。その翌年の一九二〇年十二月六日、レーニンは「ロシア共産党モスクワ組織の活動分子の会合での演説」の中でこう述べています。

《共産主義政策の実践的課題は、この敵意を利用して、彼らをたがいにいがみ合わせることである。そこに新しい情勢が生まれる。二つの帝国主義国、日本とアメリカをとってみるなら——両者はたたかおうとのぞんでおり、世界制覇をめざして、略奪する権利をめざして、たたかうであろう。……われわれ共産主義者は、他方の国に対抗して一方の国を利用しなければならない。》（マルクス＝レーニン主義研究会訳『レーニン全集第31巻』大月書店、一九五九年）

つまり、日米両国が戦争をして潰し合うよう仕向けるために、アメリカにおいて反日感情を煽り、日本においては反米感情を煽る。そうやって日米両国が互いを非難しあい、憎み合えば、いずれ戦争になって日本は敗戦に追い込まれ、政府は打倒され、革命を起こすことが可能になる、と考えたわけです。

だから今なお日本共産党は、共産主義の話はほとんど話さず、反米や政府批判だけ言うわけです。実にわかりやすい構図です。

こうしたソ連・コミンテルンの世界戦略の中でアメリカに、米国共産党が設立されたわけです。ただ、設立当初、米国共産党のメンバーたちは、レーニンの戦略をよく理解できておらず、アメリカの国民を相手に共産主義の話や、「労働者よ、団結せよ」といった革命の話をし続けたものだから、アメリカではほとんど相手にされませんでした（この辺りのことは、拙著『日本外務省はソ連の対米工作を知っていた』に詳しく書きました）。

ところが、一九二九年に世界恐慌が起こり、アメリカでも失業者が溢《あふ》れ、資本主義経済ではもうダメではないのか、新しい経済理論である共産主義の方がいいかもしれないという空気が生まれ、当時のエリート層が米国共産党に入ってくるようになったのです。

しかも一九三一年に満洲事変が起こり、日本が本格的に満洲に進出するようになりました。地図を見れば一目でわかりますが、満洲のすぐ隣は、ソ連です。ソ連は、恐怖を感じました。僅か二十数年前の日露戦争において、日本軍の優秀さはいやというほど知っていたからです。

そこでソ連は、コミンテルンを通じて、日本がソ連に攻めてこないよう、世界各国の共産党に指示を出します。具体的には、日本がソ連に攻めてこないようにするため、中国大陸で日本が戦争をせざるを得ないように仕掛けたのです。つまり、中国の蔣介石政権や毛沢東率いる中国共産党に対して経済援助を実施し、彼らが日本軍と戦うよう仕向けたわけです。日本軍が中国で戦争をしていれば、ソ連まで攻める余裕はなくなりますから。

同時に、戦争というのは、莫大な資金と燃料、物資が必要です。そこで欧米の共産党に対して、欧米諸国が対日経済制裁を実施するよう指示したわけです。燃料と軍事物資を欧米から輸入できなくなれば、日本軍の活動は鈍化せざるを得ません。

このコミンテルンの指示に基づいて米国共産党は、日本の侵略に抵抗する中国人民の戦いを支援する世論を形成して、アメリカの力で日本を押さえつけるべく、「アメリカ中国人民友の会」という国民運動組織をつくります。会長は、アメリカの有名な雑誌『ネイション』編集者のマックスウェル・スチュアートでしたが、彼はヴェノナ文書によってソ連のスパイであることが判明しています。

ここで大事なことは、ソ連は自ら日本に対峙しようとするのではなく、アメリカや中国を使って日本を押さえつけようとした、ということです。ソ連は軍事力を強化して正面から日本を打ち破るよりも、秘密工作によって外国を唆し、外国の力で日本を押さえ付けようとしたわけです。

統一戦線工作

その後一九三三年、ドイツでヒトラー政権が成立し、ソ連は、日本とドイツの両国から挟撃される恐れが出てきました。そこで一九三五年、第七回コミンテルン大会においてソ連は、これまでの方針を大きく転換します。

これまでは、基本的に「資本家や社会主義者、キリスト教会は敵だ」と主張していたのですが、日本やドイツに対抗するために、アメリカやイギリスの資本家や社会主義者とも手を組んで広範な人民統一戦線を構築するように、世界各国の共産党に指示したのです。

米国共産党の活動家たちは、自分たちが共産主義者であることを隠して、アメリカの芸能界、スポーツ界、ハリウッド、マスコミに入り込んでいったのです。これを内部穿孔《せんこう》工作と言います。そして入り込んだマスコミや映画界などで、「中国人の子供を殺害する日本軍は残酷だ。中国の子供たちや女性を、日本軍の暴虐から救おう」といった反日宣伝を繰り広げていったのです。

マスコミによる世論工作だけでなく、アメリカの国務省や外交政策研究機関にも、米国共産党の関係者たちは入り込んでいきました。当時一九三〇年代は、アメリカにはＣＩＡといった対外情報機関がありませんでした。日本では外務省にあたる国務省という組織があって、ほそぼそと情報収集をしているだけでした。

このため、アジア問題に関する情報収集、分析がほとんどできていませんでした。そうした中で唯一、アメリカにおいてアジア太平洋についての調査研究をやっているシンクタンクがありました。太平洋問題調査会（ＩＰＲ）といいます。ＩＰＲ日本支部には新渡戸稲造先生などがメンバーとして参加していました。

このＩＰＲのアメリカ本部を米国共産党は乗っ取り、反日政策の拠点にしていったのです。具体的に言うと、反日政策を提唱していた学者やジャーナリストたちを次々にＩＰＲの研究員に登用し、時のルーズヴェルト民主党政権やアメリカ陸軍に対して反日政策を提案していったのです。具体的に指摘すると、ＩＰＲアメリカ本部中枢の事務総長エドワード・カーターや機関紙『パシフィック・アフェアーズ』の編集者オーウェン・ラティモア、事務総長秘書フレデリック・ヴァンダービルド・フィールド、研究員ハーバート・ノーマンなどはいずれもソ連のスパイや協力者でした。つまりアメリカ国務省の対アジア政策のブレーンにソ連のスパイや協力者が入り込むようになったわけです。

しかも米国共産党は、日本敗北後の中国情勢を見据えた工作も開始します。当時、ルーズヴェルト民主党政権は、中国の蔣介石国民党政権を支援していました。しかし、このままだと、日本が敗北しても、中国大陸を、共産主義に反対する蔣介石国民党政権が牛耳ることになります。そこでアメリカ国内に、毛沢東率いる中国共産党を支援する政治勢力を構築しようと、一九三七年三月、『アメラジア』という雑誌を創刊し、中国共産党こそがアメリカが組むべき味方だというキャンペーンを始めます。

このような形で用意周到に米国共産党は対米工作を進めていったわけです。

シナ事変を契機に本格化した反日宣伝活動

そして一九三七年七月、中国大陸で盧溝橋事件が起こると、米国共産党はその三カ月後の十月には、アメリカの労働組合と組んでつくった「反戦・反ファシズム・アメリカ連盟（American League Against War and Fascism）」という国民運動組織を「アメリカ平和民主主義連盟（American League for Peace and Democracy）」と改称し、「民主主義を守るために、日本を打ち負かそう」というキャンペーンを始めたのです。

この団体のことについては、一九三九年に日本外務省ニューヨーク総領事館がまとめた機密文書『米国共産党調書』（外務省アメリカ局第一課発行）に、次のように記されています。当時から、日本外務省は、アメリカでの反日宣伝団体が米国共産党と深い関係にあったことをわかっていたということです。

《(九) アメリカ平和民主主義連盟（American League for Peace and Democracy'ALPD）

本部事務所＝79 Fifth Ave., New York City

全国幹部＝Dr. Harry F. Ward（会長）, Rev. William B. Spofford ; Mrs. Victor L. Berger（以上副会長）, Margaret Foresyth（会計主任）, Mr. Harris（書記長）

その他の幹部＝Prof. Robert Morss Lovett

著名な（米国共産党）党員であり、本団体内において活動している人物は次の通り。

Charles Krumbein ; Max Bedacht ; Audley Moore ; Clarence Hathaway ; William Patterson ; A. A. Heller ; Joseph Pass ; Angelo Herndon ; Earl Browder ; Elizabeth G. Flynn ; Anna Damon ; Ben Golo ; Margaret Cowl.

牧師であり、本団体内の党員の活動を支持している人物は次の通り。

Dr. Harry F. Ward ; Rev. Herman Reissig ; Bishop McConnell ; Dr. Reinhold Niebuhr ; Rev. B. F. Crawford ; Rev. Jule Ayers ; Rabbi Max Maccoby.

なお、本団体の会員数三百万中、党員は約一万名いると考えられる。》

しかも、この国民運動団体と連携して、ワシントンD.C.にロビー活動をする組織を新設します。中国支援評議会（China Aid Council）と言い、在ニューヨーク総領事館が作成した昭和十五年七月付機密文書『米国内ノ反日援支運動』によれば、名誉会長はサラ・デラノ・ルーズヴェルトさん、これはルーズヴェルト大統領の実の母親です。常任理事にマーシャル陸軍参謀長の夫人が就任しました。

ルーズヴェルト大統領のお母さんとアメリカ陸軍のトップの奥さんがトップとなったロビー団体を創設し、対日禁輸をしろ、経済制裁しろとロビー運動をしたのです。実はこの団体の事務局に務めていたのは、ミルドレッド・プライス女史やフィリップ・ジャッフェなのですが、両方ともソ連のスパイでした。アメリカ陸軍もルーズヴェルト政権もまんまとソ連に操られていたわけです。

因みに、当時のアメリカで巻き起こった反日宣伝の背後にソ連のスパイがいることを当時の日本外務省は正確に把握し、日本政府に報告しています。

一九三八年八月には、経済界を巻き込んで「日本の中国侵略に加担しないアメリカ委員会（The American Committee for Non-Participation in Japanese Aggression）」という国民運動組織がニューヨークで結成されます。名誉会長はH・スティムソン（元国務長官）です。理事長は、ロジャー・グリーン（元在漢口アメリカ総領事）で、ロックフェラー財団の幹部でした。

発起人はヘレン・ケラー（女性教育家、社会福祉活動家）を始めとして、十数人いるのですが、その背景を調べると実に興味深いことが判明します。

まず、フランク・プライス（在中宣教師）、アール・リーフ（元UP中国特派員）、ジョージ・フィッチ（中国YMCA書記長）の三人は、実は蔣介石率いる中国国民党の宣伝部の協力者でした。蔣介石政権から依頼されて、アメリカで反日宣伝活動をしていたのです。

また、M・スチュアート（『ネイション』編集員）、フィリップ・ジャッフェ（『アメラジア』編集員）、T・A・ビッソン（外交政策協会研究員）の三人は、ヴェノナ文書によってソ連のスパイであることが判明した人物です。

つまり、元外務大臣をトップに、アメリカの経済界が資金を出し、中国国民党とソ連のスパイたちが一緒になって反日宣伝を繰り広げていたわけです。

この「日本の中国侵略に加担しないアメリカ委員会」は、『日本の戦争犯罪に加担するアメリカ（AMERICA'S SHARE IN JAPAN'S WAR GUILT）』（A5判で八十頁）というパンフレットを六万部も発行し、連邦議会の政治家や経済界、キリスト教団体、労働組合に配布し、反日キャンペーンを繰り広げたのです。

シナ事変当時、ルーズヴェルト民主党政権は、日本に対して極めて厳しい態度をとっていましたが、その背景には、ソ連のスパイたちによる反日宣伝があって、それを当時の日本外務省もわかっていたわけです。

にもかかわらず、当時の日本政府も軍も外務省の情報に耳を傾けませんでした。中国大陸での日本軍の行動を非難するルーズヴェルト「民主党」政権に感情的に反発し、外務省の「冷静な」分析には目もくれなかったのです。外交関係を感情で判断することは危険なのです。

一九三八年八月　アメリカで日本の対中政策への非難が強まる

通説

中国大陸での日本軍の「残虐行為」に対して、アメリカの知識人たちは積極的に非難の声を上げた

一九三八年八月に結成された「日本の中国侵略に加担しないアメリカ委員会」は、ヘレン・ケラーなど社会的信用の高い有識者が多数参加するアメリカ著名人による団体だった。その目的は中国大陸での日本軍の残虐行為を非難することにあり、委員会の主張は政界、宗教界、新聞界をはじめとする一般知識人階級に浸透していった。

見直し

日本の対中政策を非難するアメリカの団体のほとんどは、裏で米国共産党が運営していた

日米開戦に至りつつある時代のアメリカにおいて、中国国民党、コミンテルンのスパイ、キリスト教会、アメリカ軍の幹部が、共産党の主導の下でがっちりとスクラムを組んで反日キャンペーンを展開していた。そして、その代表的な団体である「日本の中国侵略に加担しないアメリカ委員会」の上層メンバーのほとんどは米国共産党関係者だったことを日本外務省は把握していた。

こうした反日宣伝に煽られてアメリカの世論は急速に反日化し、一九三八年十二月、ルーズヴェルト民主党大統領は「対日牽制の意を込めて」、中国国民党政府に二千五百万ドルの借款供与を決定しました。それまでは、日中紛争に対して比較的中立を保っていたアメリカでしたが、これを機に明確に蔣介石政権に肩入れし、日本に対して軍事的にも対決姿勢をとるようになっていったのです。

しかも米国共産党によって牛耳られつつあったIPRが一九三九年以降「日本は専制的な軍国主義国家だから戦争を起こすのだ」という対日観で次々とアジア政策を提案し、日本の中国侵略批判のブックレットを刊行、反日パンフレットを軍や政府に大量に供給しました。

アメリカの陸軍を巻き込み、「日本は南京大虐殺を行い、世界征服をたくらんでいる、とんでもない侵略国家だ」というキャンペーンを繰り広げたのです。またアメリカ軍の宣伝映画『汝の敵・日本を知れ』では、日本軍が南京大虐殺を行ったと批判されているのですが、そうした映画シナリオをつくったのもＩＰＲでした。そういう形でコミンテルンの内部浸透工作が行われたわけです。

残念ながら、いつの時代でも軍人は宣伝には弱いので、アジア太平洋の専門家たちからそう言われて、それを信じてしまったわけです。

その結果、ルーズヴェルト民主党政権内部だけでなく、アメリカ陸軍の中でも、日本はひどい軍国主義国家だというイメージが浸透していったのです。

こうなると、いくら日本側が反論をしても、耳を貸さなくなってしまいます。国際的な宣伝戦は、ある意味、国家の命運を大きく左右するほど、重要なのです。

先の戦争で日本は、中国大陸では連戦連勝をしましたが、結果的に、日本を敵視するアメリカに敗れました。では、アメリカはなぜ日本を敵視したのか。日本が真珠湾で「卑怯なだまし討ち」を行い、アメリカの一般国民を激高させたからだと言われます。

実は、この真珠湾攻撃についてもアメリカでは見直しが進んでいるのです。詳しくは次の章で見ていきたいと思います。

第七章

変わりゆく「リメンバー・パールハーバー」

太平洋戦争が資源を求めた戦争であったことを示すアリゾナ記念館ビジター・センターの展示

誰がアメリカで反日を煽ったのか

中国大陸での「日本軍の暴行」を非難する宣伝活動の影響で、シナ事変以降、アメリカの対日世論は急激に悪化していきます。

この反日世論の盛り上がりを受けて一九三九年七月二十六日、ルーズヴェルト政権は日米通商航海条約の廃棄を通告します。クズ鉄、鋼鉄、石油など重要物資の対日輸出が禁止され、そうした物資のほとんどをアメリカに依存していた日本には、致命的な経済的打撃を受ける可能性が生まれてきました。アメリカは一方で一九四〇年三月、蔣介石政権に対して二千万ドルの軍事援助を表明します。

アメリカの反日親中政策がさらに鮮明化していく中、アメリカに強く反発する世論が日本国内に沸き上がります。

こうした国際情勢について、米国共産党とコミンテルンの工作活動の影響を指摘する人物がいました。前述しましたが、ニューヨーク総領事を務めていた若杉要《かなめ》という外交官です。

若杉総領事は一九四〇年七月二十五日、三日前の二十二日に発足したばかりの第二次近衛内閣の松岡洋右《ようすけ》外相に対して「米国内ノ反日援支運動」という報告書を提出し、次のように訴えました。

一、アメリカにおける反日・中国支援運動は、大統領や議会に対して強力なロビー活動を展開し効果を挙げているだけでなく、新聞雑誌やラジオ、そして中国支援集会の開催などによって一般民衆に反日感情を鼓吹している。

二、この反日運動の大部分は、米国共産党、ひいてはコミンテルンがそそのかしたものだ。

三、その目的は、中国救済を名目にしてアメリカ民衆を反日戦線に巻き込み、極東における日本の行動を牽制することによって、ソ連のスターリンによるアジア共産化の陰謀を助長することだ。

四、中国救済を名目にして各界に入り込もうとする、いわば米国共産党・コミンテルンによる「トロイの木馬」作戦の成功例が「日本の中国侵略に加担しないアメリカ委員会」だ。共産党関係者を表に出さず、ヘレン・ケラーといった社会的信用があるリベラル派有識者を前面に出すことで、政界、宗教界、新聞界を始め一般知識人階級に対してかなり浸透している。

五、共産党のこのような作戦に気づいて苦々しく思っているアメリカの知識人もいるが、一般民衆の反日感情のため、反日親中運動に対する批判の声を出しにくくなっている。

若杉総領事は、「ルーズヴェルト政権の反日政策に反発して近衛内閣が反米政策をとることは結果的に、日米両国が対立し、ソ連のスターリンによるアジア共産化に加担することになるから注意すべきだ」と訴えたのです。

しかしその声に、近衛内閣は耳を傾けませんでした。

若杉総領事の報告書が届いた翌日、近衛内閣は、アジアから英米勢力排除を目指す「大東亜新秩序建設」を国是とする「基本国策要綱」を閣議決定します。これは、近衛文麿の私的政策研究団体・昭和研究会の影響を受けた政策でした。昭和研究会には、ソ連のスパイであった尾崎秀実が在籍していました。

英米を敵視する一方でソ連との連携を深めるべく日本は、翌一九四一年四月十三日、日ソ中立条約を締結します。

反米に傾く日本に反発を強めるルーズヴェルト大統領も一九四一年三月、ラフリン・カリー大統領補佐官を蔣介石政権に派遣し、対中軍事援助について協議を開始します。そして四月、カリー補佐官は日本を中国大陸から約五百機の戦闘機や爆撃機で空爆するＪＢ３５５計画を立案し、七月二十三日にルーズヴェルト大統領はこの作戦計画を承認してしまいます。

ルーズヴェルト大統領は、日本軍による真珠湾攻撃の半年も前に、日本本土を攻撃する計画にゴーサインを出していたわけです。日本和平交渉中にアメリカは日本と戦争をする準備をしていたことを理解しておくべきでしょう。

一九四一年四月　ＪＢ３５５（日本本土爆撃）計画

通説

アメリカは日米衝突を回避するため一九四一年の四月に交渉を開始した

一九三九年九月に開始された第二次世界大戦が進む中、アメリカは一九四一年の三月に武器貸与法を成立させ、イギリスなど連合国側に軍事物資の供給を開始して反ファシズム（ナチス・ドイツ）諸国支援の姿勢を明確にした。その一方でアメリカは日米衝突を回避するために四月十六日を初回として約五十回にわたることになる交渉を重ねるがやがて行き詰まった。

見直し

真珠湾攻撃の四カ月以上も前に、ルーズヴェルトは日本空爆計画を承認していた

一九四一年四月、ラフリン・カリー大統領補佐官は、JB355と呼ばれる日本空爆計画を立案してルーズヴェルト大統領に提出した。蔣介石政権と連携して日本本土を約五百機の戦闘機や爆撃機で空爆するという計画である。日米和平交渉を進める一方でルーズヴェルト大統領は七月二十三日に、この計画に承認のサインをしている。

アメリカの世論も軍も戦争に反対だった

この対日爆撃計画にサインした三日後の七月二十六日、アメリカの歴史家エドワード・ミラーの著書『日本経済を殲滅せよ』（金子宣子・訳、新潮社、二〇一〇年）によれば、財務省通貨調査局長のハリー・デクスター・ホワイトの提案で在米日本資産は凍結されました。

ルーズヴェルト政権の対日経済制裁は一九三九年七月の日米通商航海条約の破棄通告か

ら始まりました。実際には一九四〇年九月の屑鉄の禁輸に始まり、次々と禁輸項目を増やしていきます。そしてアメリカの対日経済制裁は、一九四一年七月に在米日本資産の凍結、八月には石油対日全面禁輸に及びました。

資産凍結と石油禁輸は日本にとって極めて厳しい制裁でした。石油に関して日本はアメリカからの輸入に頼っていました。また、アメリカの金融の力は強力でした。資産凍結とは、日本政府や日本企業あるいは個人がアメリカに持っている資産がすべてアメリカ政府の管理下に置かれるということであり、これは、日本が国際貿易から締め出されることを意味します。

ポイントは、アメリカの戦略家たちはこのような厳しい対日経済制裁が持つ意味を十分に理解していたということです。

強力な経済制裁の影響は日本の軍事力だけでなく経済に対しても甚大であり、日本側のアメリカに対する開戦事由になりかねないということがわかっていました。

開戦事由とは、「日本のアメリカに対する戦争を正当化できる理由」ということです。つまり、開戦事由があれば、日本がアメリカに宣戦布告することは国際法上正当であるということです。これは、一九二八年にアメリカとフランスの主導のもとで締結され、国際社会の常識となっていたパリ不戦条約によります。

日本も署名したパリ不戦条約では「自衛戦争」を認める一方、「侵略戦争」を違法化することを謳っています。厳密な定義は確立されなかったものの、「侵略戦争」は「挑発を受けずに先制攻撃を実施すること」という意味合いで合意されました。

「挑発」には「経済制裁」を含めることが可能でした。つまりアメリカ政府は、対日経済制裁を強化すれば、それを理由に日本が「自衛戦争」を行う可能性があることを理解していたのです。

一九四一年七月　アメリカが在米日本資産を凍結

通　説

日本の南部仏印進駐に対してアメリカは在米日本資産を凍結し、対日石油輸出の全面禁止を決定した

独ソ戦開始翌月の一九四一年七月、日本は御前会議において、軍部の強い主張から対米英戦覚悟の南進と情勢有利の場合の北進つまり対ソ戦を決定した。同七月末に、すでに決定されていた南部仏印進駐が実行され、アメリカはこれに対して強硬な対日経済制裁を実施する。日本の南進と東亜新秩序建設を阻止する意思を明確に示し、イギリスとオランダもこれに同調した。

見直し

アメリカは、強力な経済制裁を開戦事由とする日本の自衛戦争開始の可能性を理解していた

アメリカ政府は、対日経済制裁を強化すれば、それを理由に日本が「自衛戦争」を行う可能性があることを理解していた。政府が経済制裁を強める一方、特に軍人を中心に日米和平の実現を模索する人々がいた。一九四一年の十一月には、アメリカ政府内に、戦争回避のための九十日間の暫定協定構想が浮上している。

外交当局や財務省を含めたアメリカ政府が対日経済制裁をエスカレートさせる一方、日米衝突が免れないことを憂えて日米和平の実現を模索する人々がいました。

その代表格が、ジョージ・マーシャル陸軍参謀総長とハロルド・スターク海軍作戦部長の二人です。海軍作戦部長はアメリカ海軍省の最高位です。つまり、陸海軍のトップが日米開戦に反対していました。

スタークはホワイトハウスに、戦争準備ができていない、と進言しました。一九四一年三月に武器貸与法を制定してイギリスを中心とする連合国への軍事援助を始めていたものの、アメリカの世論は、ヨーロッパの第二次世界大戦に武力介入することには反対でした。選抜訓練徴兵法が前年に制定されたばかりで兵員の数も足りず、装備もまったく整っていませんでした。

そこで一九四一年の十一月には、アメリカ政府内で九十日間の暫定協定構想が浮上していました。その協定案の全文が『ハル・ノートを書いた男』(須藤眞志、文藝春秋、一九九九年)に紹介されています。暫定協定案は全部で八条からなり、第一条と第二条で、お互いに危ないことは差し控え、なんとしても衝突は避けようということが謳われています。

第三条は、日本の南部仏印進駐に関する条文です。資産凍結と石油禁輸は、南部仏印つまりフランス領インドシナに対する日本軍進駐の決定に対して行われたものでした。第三条でアメリカはまず日本に南部仏印からの撤退を求めています。それと引き換えに、アメリカは第四条と第五条で資産凍結と石油禁輸を緩和するとし、第四条で緩和品目の詳細を列挙しています。

南部仏印撤退を条件とした対日経済制裁の緩和はアメリカのみに限るものではありませんでした。第六条では、アメリカ政府がオーストラリア、イギリス、オランダに対しても制裁緩和を勧告することを約束しています。

第七条は、日中関係に関する条項ですが、具体的な要求は掲げていません。日本は、満洲帝国を影響下に置き、かつ、シナ事変が長期化していたため、中国国民党政府と「戦争中」でした。が、アメリカは満洲についても、現在進行形であったシナ事変についてもなんら具体的な要求をしないつもりだったのです。

《七、日本と中国間の現在の事変に関して、日中両国政府間に開始されるべき交渉に関して米国政府の基本的関心は、単に、右交渉及び其の結果のいかなる解決も、この日本政府と米国政府との間における本会談の中心をなす精神にして、且つ、太平洋全域に通じ普遍的に適用される平和、法、秩序及び正義となる基本原則を基礎とし、及びこれを例証するものたることのみなり。》

とりあえず九十日間はこれでやってみましょう、という協定の有効期限を記した第八条で暫定協定案は終わっています。日米和平派だったマーシャル陸軍参謀総長は、「もし日本が十二月七日（現地時間）に真珠湾攻撃をせず、翌年一月一日までこの協定が維持されていたとしたら、その頃には独ソ戦でソ連の反攻が始まっていたので、日本は対米戦争に踏み切らなかった可能性がある」と述べています。つまり、一九四一年十一月の時点において、アメリカ政府の大勢は、日米戦争はなんとしても回避したい、というものだったということです。

一九四一年の段階で、ルーズヴェルト大統領の意向とは異なり、アメリカの世論も米軍幹部たちも日米戦争を望んでいませんでした。こうした動向を受けて当時の国務長官コーデル・ハルは、なんとしても日米戦争を回避すべく、十一月二十五日の段階までは前述の穏当な暫定協定構想を進めようとしていました。

スターリンの秘密工作員

ところが翌二十六日、暫定協定案を突然放棄して、日本側にハル・ノートを提示しました。その内容は極めて強硬で、日本にとって最後通牒に等しいと受け止められました。

この方針転換の背景について、アメリカでは、新たな説が唱えられています。

若い頃からアメリカの保守主義運動を牽引してきた現代史に造詣の深い作家スタントン・エヴァンズと安全保障の専門家でありインテリジェンス研究者であるハーバート・ロマースタインが共著として二〇一二年に出版した『Stalin's Secret Agents: The Subversion of Roosevelt's Government（スターリンの秘密工作員：ルーズヴェルト政権の破壊活動）』という本では、日米戦争を始めたのは日本であったとしても、その背後にあって日米を戦争へと追い込んだのはソ連・コミンテルンの工作員とその協力者たちだったと指摘しているのです。

ハル・ノートの原案を作成したのは、財務次官補ハリー・デクスター・ホワイトでした。そして、ホワイトが書いた原案はなんと、ソ連の情報機関ＮＫＶＤ（内務人民委員部の略称。ＫＧＢの前身）の幹部ヴィタリー・パブロフの指示に基づいている、というのです。

この対米工作は「雪作戦」と呼ばれます。「雪」とは、ハリー・デクスター・ホワイトの「ホワイト（白）」に由来するとされています。

『スターリンの秘密工作員』の著者スタントン・エヴァンズは、この秘密工作「雪作戦」について次のように述べています。

《のちにKGB幹部のヴィタリー・パブロフが明らかにしたことであるが、彼はこの数カ月前にワシントンに行って、米日間の和解を阻むために強調すべき要点をホワイトに指示している。

ホワイトは大して指示される必要もなく、強硬姿勢の覚書を何度も推敲して書き上げた。比較すればわかるように、中国とインドシナについてホワイトが書いた（対日）要求項目は実質的にハルの提案と同じである。

パブロフとホワイトが面談した要点とハル・ノートの類似性は驚くべきものだ。パブロフが明らかにしたように、彼はホワイトに向かって、日本は「中国およびその周辺における攻撃をやめ」、「中国大陸からすべての軍隊を撤収」しなければならないと強調した。ハルの提案はこれと同じだ――「日本国政府は中国及びインドシナより一切の陸海空兵力及び警察力を撤収するものとす」。

日本がこれらの条項を受諾できないことをハルが認識していたことは、ハルが「これでこの問題は［陸軍長官］スティムソンと［海軍長官のフランク・］ノックスの手に――陸軍と海軍の手に委ねられた」とのちに語ったことから明らかである》（山内智恵子訳）

十一月二十六日に手渡されたハル・ノートによって日米交渉は事実上決裂し、その十二日後、日本は真珠湾を攻撃し、日米は戦争状態に陥ります。暫定協定案からハル・ノートへと急転換する二十五日から二十六日の間にいったい何があったのでしょうか。

エヴァンズらによれば、アメリカ政府の方針転換の背景にはソ連による秘密工作があったといいます。それは、ホワイトハウスのラフリン・カリー大統領補佐官と、重慶の中国国民党政府に顧問として派遣されていたオーウェン・ラティモアとの連携によって実行されました。

十一月二十五日、重慶に駐在している蔣介石顧問のオーウェン・ラティモアからカリー大統領補佐官宛に次のような公電が届きました。

《どうか早急に（蔣介石）総統の極めて強い反対を大統領にお伝え下さい。総統がこんなに興奮したのを、私は見たことがありません。（ハル国務長官が作成した暫定協定構想案で示された日本に対する）経済制裁の緩和とか資産凍結の解除とかは、中日戦争の日本を軍事的に助けるもので、甚だ危険な措置です。……アメリカがここで日本と暫定

協定を結ぶなら、中国人はアメリカへの信頼を失うでしょう》

エヴァンズらは、「このラティモアの公電こそが暫定協定案放棄の引き金であり、日米開戦への道が決されたのだ」と述べています。当時の米陸軍長官ヘンリー・スティムソンの日記に、「中国人が拒絶したから、つまり、蔣介石が特別なメッセージを送ってきて、暫定協定が中国人にとって非常に印象が悪いと言ってきたから」暫定協定案を放棄したとハル国務長官自ら語っていた、と残されています。

エヴァンズらは、結局のところ、ハルが暫定協定案を放棄した理由について文書に残っているのは「蔣介石からのメッセージ」だけだ、と指摘しています。「蔣介石からのメッセージ」とは右記のラティモアの公電に他なりません。

エヴァンズらは、「蔣介石からのメッセージ」を打電したラティモアの背景について執拗に追及しているのですが、その中には注目すべきポイントがいくつかあります。

特に注目すべき点は、ラティモアを蔣介石の顧問として中国国民党政府に送り出していたのはカリー大統領補佐官だったということです。アメリカ連邦議会上院の国内治安小委員会『太平洋問題調査会報告書』（一九五二年）には、次のような事実がはっきりと記されています。

《ラティモアを蔣介石の顧問として任命するよう最初に推薦したのはラフリン・カリーだった。

当時国務省の極東外交の顧問だったスタンレー・K・ホーンベック博士は、カリーが博士にラティモアが任命されることになっていると告げたとき、反対意見を言ったと証言している。その際、カリーは自分がラティモアを推薦したと認めただけでなく、ラティモアの任命はもう決まったことなのでホーンベックが薦める候補者の任命は不可能だと述べた。カリーはさらにホーンベックに対し、ラティモア任命について国務長官とは相談すらしていないと認めた》（アメリカ上院国内治安小委員会『太平洋問題調査会報告書』、山内智恵子訳）

日米和平交渉を決裂へと追い込んだハル国務長官の対日政策の変更に決定的な影響を与えた蔣介石のメッセージを「作成し、アメリカ政府に送ってきた」のはオーウェン・ラティモアでした。そして、このラティモアをアメリカ政府の代理人という形で蔣介石顧問のもとに送ったのはカリー大統領補佐官でした。ヴェノナ文書によれば、カリー大統領補佐官はソ連の秘密工作員でした。

『スターリンの秘密工作員』では、日米開戦には様々な要因があり、もしこれらの工作がなければ日米開戦には至らなかったと言えるかどうかはわからない、としたうえで、ハル・ノートをめぐる動きについて次のように概観しています。

《これらのすべてにおいて、またしてもKGB（原文のまま。この時期はまだKGBではなく、正確にはNKVD）の隠された手を見ることができる。KGBは、すでに述べた理由により、日米間の緊張が決して緩和しないことを望んでいた。（中略）

従って、ホワイト、カリー、ラティモアら政府高官たちのグループが推進した政策は、東京のゾルゲ・尾崎ネットワークが推進した政策とぴったり符合する――すべてが、米日間の和解をなくす方向、より端的に言えば、日本にソ連を攻撃させない方向に向かっていたのだ。》（山内智恵子訳）

何としても日米戦争を避けようと日米両国は努力していた。その努力を踏みにじるように日米戦争へと追い込む秘密工作が展開され、その工作では、日米両国政府に入り込んだソ連の工作員たちが大きな役割を果たしていた。これが、『スターリンの秘密工作員』が導き出した結論です。

一九四一年十一月　ハル・ノート

通説

日本に対するアメリカの和平提案（ハル・ノート）は、日本には到底受け入れることのできない内容だった

一九四一年十一月二十六日に日本がアメリカから受け取ったハル・ノートには、中国・仏印からの全面的無条件撤退、満洲国と汪兆銘《おうちょうめい》政権の否認、日独伊三国同盟の実質的撤廃などが要求されていた。満洲事変以前の状態への復帰を和平の条件とするもので、到底受け入れることのできない日本にとっては最後通牒に等しく、日米交渉は絶望的となった。

見直し

暫定協定案からハル・ノートへの急転換の背後にはソ連の秘密工作があった

一九四一年十一月の時点で、日米両国は戦争を避けるべく努力を続け、アメリカは穏当な暫定協定案を用意していた。その方針は突然変わり、二十六日、極端に強硬なハル・ノートが提出される。提出の前日に届いた、ソ連工作員の手による、中国の蔣介石の反応を知らせる公電がその転換の要因となったとされている。

はっきりしていることは、アメリカ政府が公開した「ヴェノナ文書」によれば、日米和平交渉に際して、対日爆撃計画を立案したラフリン・カリー大統領補佐官も、在米日本資産凍結を提案し、ハル・ノートの原案を作成したハリー・デクスター・ホワイト財務省通貨調査局長も、ソ連の協力者であったということです。

日米は共に国益を追求した

このようにヴェノナ文書の公開と研究によって、近現代史は大きく見直されているのです。

二〇一七年十一月三日、アメリカ大統領だったドナルド・トランプがハワイ・真珠湾のアリゾナ記念館を訪問した後にツイッターで「Remember Pearl Harbor（真珠湾を忘れるな）」とつぶやいて話題になったことがあります。

日本のマスコミは、この言葉を相変らずの意味合いで、つまり、トランプは「日本の騙し討ちを忘れるな」という意味合いでこの言葉を使ったのだ、と受け止めていましたが、この「リメンバー・パールハーバー」の意味合いもアメリカでは大きく変わってきていきます。

一九四一年十二月八日（現地時間は七日）、日本軍が真珠湾攻撃をした当時は、それは確

ハワイ・真珠湾のアリゾナ記念館

かにアメリカにとっては「卑怯な騙し討ち」でした。

ところが一九四八年、アメリカの著名な歴史学者チャールズ・ビーアド博士が『President Roosevelt and the Coming of the War, 1941: A Study in Appearances and Realities』という本を刊行します（邦訳『ルーズベルトの責任』藤原書店、二〇一一年）。

この『ルーズベルトの責任』によって、「時のルーズヴェルト大統領は暗号傍受により日本軍による真珠湾攻撃を知っていたのに、対日参戦に踏み切るため、わざと日本軍攻撃のことをハワイの米軍司令官に知らせなかった」という「ルーズヴェルト謀略論」が登場します。

その後もアメリカでは真珠湾攻撃についての議論が続きます。

そして、真珠湾攻撃五十年にあたる一九九一年十二月七日にアリゾナ記念館ビジター・センターで行われた記念式典において、ある問題が浮上して議論になりました。式典の名称を「真珠湾攻撃（Pearl Harbor attack）五十年式典」とするのか、それとも「真珠湾五十年式典」とするのか、という議論です。問題になったのは、「攻撃（attack）」という言葉でした。

第二次世界大戦後の、ソ連を相手とした冷戦においては、日本はアメリカの味方、同盟国です。その日本を非難するかのような式典名称はどうなのか、ということです。

特にハワイにおいては日系人たちが多数活躍していますから、日本を敵視するような名称の式典は控えるべきだろう、という議論が起きました。五十年も経ったことだし、「攻撃」という言葉は外そうではないか、日本の「騙し討ち」を批判するのではなく、いつかなるときに外国から攻撃されるかもしれないことを念頭に置いた国防の重要性の理解を深める記念式典としてその趣旨を変更すべきだ、という議論が行われたのです。

この真珠湾五十年式典に私も参加しましたが、真珠湾攻撃で生き残った軍人とその遺族の皆さんが参加した式典では「われわれは勝ったのだ」という祝勝会のようで、日本に対する恨みみたいな暗い影はほとんど見られませんでした。

結果として、式典の名称から「攻撃」という言葉は削られました。ジョージ・ブッシュ大統領の記念演説も、日本を批判する文言はなく、国防の重要性を強調するものとなっていました。

私が二〇一七年九月、久しぶりにアリゾナ記念館を訪問した時のことです。アリゾナ記念館ビジター・センターの展示担当者の説明を聞きながら歴史展示を見学したのですが、入り口に飾られていた一枚の解説板に特に目を引かれました。次のように記されていたのです。

《「迫りくる危機」 アジアで対立が起きつつある。旧世界の秩序が変わりつつある。アメリカ合衆国と日本という二つの新興大国が、世界を舞台に主導的役割を取ろうと台頭してくる。両国ともに国益を推進しようとする。両国ともに戦争を避けることを望んでいる。両国が一連の行動をとり、それが真珠湾でぶつかることになる。》（拙訳）

アリゾナ記念館は、真珠湾攻撃は日米両国がそれぞれの国益を追求した結果起こったものである、としているのです。つまり、日本

アリゾナ記念館ビジター・センター

を「侵略国」であると決めつけた東京裁判を事実上否定している、ということです。

いまや日本が一方的に戦争を仕掛けたという議論はなくなり、様々な背景があって戦争になったわけであり、日本を一方的に批判するような展示は変えるべきだというのがアメリカ国立公園局、歴史学者達、アメリカ軍、そしてハワイ州政府の四者協議の総意であったのです。

日本では敗戦後、「日本は真珠湾攻撃でだまし討ちをした悪い国だ」といった歴史観をもってきたのですが、相手のアメリカはとっくの昔に、そうした歴史観とは異なる見方を打ち出し始めているのです。

しかも、この近現代史見直しを加速させているのが、ヴェノナ文書の公開なのです。ヴェノナ文書の研究書である『スターリンの秘密工作員』は、「真珠湾攻撃の背後にソ連の工作があった」として、次のように指摘しています。

《ソ連による政治工作は、ソ連が我々の同盟国であり、反共防護措置が事実上存在しなかった第二次世界大戦中に最も顕著であった。これはぞっとするほどタイミングが良かった。親ソ派の陰謀がアメリカの参戦に決定的役割を果たしたのだから。この意味で注目すべきなのは、真珠湾攻撃に先立って共産主義者と親ソ派が行った複雑な作戦である。この一九四一年十二月七日の日本軍の奇襲攻撃により、二千人以上のアメリカ人が生命を失い、アメリカは悲惨な戦いを始めることになったのである。》（山内智恵子訳）

一九四一年十二月　真珠湾攻撃

通説

日本陸軍が英領マレー半島を、日本海軍がハワイ真珠湾を奇襲攻撃し、太平洋戦争が開始された

一九四一年十二月一日の御前会議で対米交渉の不成功が判断され、日本の米英開戦が最終決定する。同月八日、陸軍が英領マレー半島、海軍がハワイ真珠湾を奇襲攻撃する。日本はアメリカとイギリスに宣戦布告し、太平洋戦争（大東亜戦争）が開始された。

見直し

アメリカでは近現代史の見直しが進み、真珠湾攻撃は日米両国がそれぞれの国益を追求し

た結果起こったものである、としている

アメリカにおける近現代史の見直しは近年ますます進み、「真珠湾攻撃の背後にソ連の工作があった」とする研究が注目されている。一九九五年のヴェノナ文書の公開は、ルーズヴェルト政権内部にソ連のスパイたちがいた事実を明らかにし、ソ連の秘密工作の実態を白日の下にさらした。

見直されているのは、真珠湾攻撃に至る経緯だけではありません。「第二次世界大戦で問題なのはソ連の秘密工作ではないのか。またその秘密工作に引っ掛かったルーズヴェルト民主党政権の責任も追及すべきだ」として、『スターリンの秘密工作員』は、次のように指摘しているのです。

《今や相当な量に達したデータが示しているように、強力で邪《よこしま》な敵が、一九四〇年代半ばまでにアメリカ政府（およびその他の影響力のあるポスト）に無数の秘密工作員とシンパを配置することに成功した。これら工作員たちは政府の中でソ連の国家目的に奉仕し、アメリカの国益を裏切ることができた。》（山内智恵子訳）

このようにソ連とコミンテルンは、相手の政府やマスコミ、労働組合などにスパイや工作員を送り込み、背後からその国を操る秘密工作を仕掛けてきたのです。この秘密工作を専門用語で「影響力工作」といいます。

ヴェノナ文書の公開と、ソ連などによる秘密工作が国際関係、アメリカ政治に与えた影響について研究が進んだことによって、アメリカでは、第二次世界大戦に対する評価が今、大きく変わりつつあるのです。

このようにアメリカでは近現代史の見直しが進んでいて、日本の歴史教科書の内容とはかなり喰い違ってきています。アップデートされた近現代史の研究について関心を抱くようにしないと、日米関係を見誤ることになりかねないのです。

第
八
章

敗戦後の日本の命運は誰が決めたのか

ヤルタ会談でポーランドを売り渡したルーズヴェルトらを批判する挿絵

ソ連の圧倒的な一人勝ち

ソ連の秘密工作は、日米開戦だけでなく、終戦処理、つまり第二次世界大戦後の国際秩序と日本の命運に対しても深刻な影響を与えました。

その一つが、ヤルタ会談です。

何度か本書でも言及してきましたが、このヤルタ会談の評価は、ヴェノナ文書の公開と研究を踏まえて、大きく変更されるべきなのです。

一九四五年二月　ヤルタ会談

通説

米英ソの三国首脳がクリミア半島のヤルタで会談し、ドイツ処理の大綱、秘密条項としてソ連の対日参戦などが決められた

ルーズヴェルト、チャーチル、スターリンの間でドイツの戦後処理問題が話し合われた。それとともに、ドイツ降伏から二〜三カ月後のソ連の対日参戦や、日本からソ連への南樺太の返還および千島列島の割譲、旅順・大連の自由港化を約束する秘密協定が結ばれた。

見直し

秘密協定「ヤルタの密約」で、ルーズヴェルト大統領はアジアをソ連に売り渡した

ヤルタ会談は、ソ連に対する英米の外交的敗北だった。これほどの外交的敗北は歴史上に例がない。ルーズヴェルト大統領率いるアメリカの外交団は親ソ、もしくはソ連に知識のないメンバーで構成されていた。その一員である、ルーズヴェルトが直々に指名したアルジャー・ヒスはソ連の工作員であり、事実上、外交団を仕切っていた。

一九四五年二月のヤルタ会談開催時には、ドイツと日本の敗北は目前でした。英米ソ三国の優位は決定的で、戦後の秩序を思うままにできる状況にあった三国はそれまでの世界秩序をリセットして一からつくり直す会談を行います。

ヤルタ会談でのルーズヴェルト、チャーチル、スターリンの決定がその後の全世界の人々の運命を決め、その影響がいまだに続いているわけですが、会談の議題は、次のようなものでした。

・どこに国境を引くか
・どの地域、どの資産を誰が取るか
・それらの決定によって、人民をどこに動かすか
・どの政治勢力がどこを治めるか
・どのような形態の統治になるか（自由主義か共産主義か）
・戦争を防止し、正義を保障する国際機関の創設

国際機関の創設は、第一次世界大戦後に国際連盟を提唱したウッドロー・ウイルソン大統領の後継者を自任するルーズヴェルトにとって、自らのレガシー（伝説）を後世に残すためにも重要な課題でした。

政治家の多くは歴史に名を残したいという名誉欲が強く、自らの業績を傷つける失敗については隠そうとする習性を持っているということは知っておくべきでしょう。

それ以外の議題は、戦後の世界地図を決める、ということです。特に、ドイツ、ポーランドなど東欧諸国、満洲（中国）を誰が統治するか、つまり、アメリカ主導の自由主義とソ連主導の共産主義のどちらに入れるかが焦点となりました。結果は圧倒的にソ連の一人

勝ちです。

まず、ポーランドに対しては、ワルシャワ蜂起の失敗のまま、住民の意思とは無関係に、一方的な布告と暴力、脅迫によって共産主義政権が押し付けられます。他の東欧諸国も次々と共産化することとなりました。ラトビア、エストニア、リトアニア、ルーマニア、ブルガリア、ハンガリー、アルバニアはソ連の支配下となり、チェコスロバキアは数年間の抵抗の後に屈服し、東ドイツもソ連の支配下となります。

アジアでも、中国、モンゴル、北朝鮮、ヴェトナム、カンボジア、ラオスが共産化します。英米は軍事的には圧勝するわけですが、結果として、バルチック海から太平洋へ、さらにはラテン・アメリカまで共産圏が広がることになります。

ソ連の歴史家ミハイル・ヘラーとアレクサンドル・ネクリッチは共著『Utopia in Power（権力のユートピア）』（Hutchinson、一九八七年）の中で、「アメリカとイギリスはヤルタにおいて、ソ連帝国形成に対する事実上の承認を与えた」と述べています。英米は外交的にソ連に敗北したのです。

これほどの外交的敗北は、実は歴史上に例がありません。

ヤルタ会談における史上最大の外交的敗北については、対ソ姿勢において、アメリカのルーズヴェルト大統領の責任の方が大きかったと言えるでしょう。

イギリスのチャーチル首相は、ドイツ崩壊によって起こるだろう勢力不均衡を予見してソ連に対する警戒を強めていました。チャーチルは、ナチスを倒しても別の専制的独裁者の手に欧州を渡すだけだと考えていたのです。その後チャーチルはソ連の膨張に備えるよう西側諸国に呼びかけ、一九四九年にはＮＡＴＯ（北大西洋条約機構）を発足させます。

一方、アメリカのルーズヴェルト政権は、ソ連の台頭をむしろ歓迎していました。

アメリカ外交団を仕切ったアルジャー・ヒス

『スターリンの秘密工作員』によれば、ヤルタ会談に乗り込んだアメリカの外交団のメンバー構成は極めて異常なものでした。ソ連の台頭を歓迎するルーズヴェルト大統領の健康状態は最悪でまともな外交ができる状態ではありません。

側近中の側近ハリー・ホプキンスは、ソ連工作員だったという確証こそないものの、イスハク・アフメロフというソ連工作員から「アメリカ内の最重要なソ連の戦時工作員である」と名指しされています。国務長官のエドワード・ステティニアスは就任わずか二カ月でソ連に関してはまったくの素人でした。

ソ連に関する知識があるのは、通訳のチャールズ・ボーレン、ルーズヴェルトおよびホプキンスと懇意にしていたアヴェレル・ハリマン駐ソ大使だけでした。この状況の中、ルーズヴェルトが特別に指名して連れて行ったのが、アルジャー・ヒスという国務省職員です。

ヒスは、ヴェノナ文書の公開によって、ソ連の工作員だったことが判明しています。省庁をまたがって形成されていた、ハロルド・ウェアという共産党員をリーダーとする地下組織「ウェア・グループ」のメンバーでした。

ヒスは当時、無名の一官僚に過ぎず、ルーズヴェルトがヒスを知っていた証拠もなく、直々に指名した経緯も不明です。ただし、誰かが何らかの意図をもってヒスをルーズヴェルトに推薦したことだけは確かでしょう。

『スターリンの秘密工作員』は、ステティニアス国務長官の日記と「ステティニアス文書」を調査したところ、実際にはヒスがヤルタ会談において極めて重要かつ広範な役割を果たしていたことが明らかになった、としています。

ヒスはヤルタ会談において常にステティニアス国務長官と一体で動き、ステティニアスはあらゆる場面でヒスに頼り切りでした。ヒスは、合衆国政府を代表する権威ある立場で会議の席上で発言していました。ヒスが「国務省としてはこうである」と発言すると、後からステティニアスがその発言を鸚鵡返《おうむがえ》しに使うといった状態だったのです。

ヒスこそは、ヤルタ会談でのアメリカの外交団の要でした。にもかかわらず、ヤルタ会談を仕切っていたのはヒスだったということはほとんど問題にされずにきました。意図的に隠蔽されてきたとみるべきでしょう。

なぜ問題とされてこなかったのでしょうか。

一九四五年二月十一日、ヤルタ会談の最終日に発表された議定書は三大国の首脳によって署名されました。同日、極秘裏にもう一つの文書がルーズヴェルトとスターリンによって署名されました。ドイツ降伏から二カ月または三カ月でソ連が対日参戦することと引き換えにアジアの莫大な領土と権益を与えるという「ヤルタ密約」です。イギリスのチャーチルは同席せず、後に形式的に署名を加えました。

ヤルタ密約の署名文書はホワイトハウスの金庫にしまわれ、一九四六年二月に公開されるまでアメリカ議会の承認を得ることもなく、国民はその存在を知りませんでした。

ヤルタ密約はルーズヴェルトとスターリンの間で、アメリカ国務省を介さず、ハリマン大使が往復するのみの密室外交で結ばれました。その実態は、文案作成をソ連に任せ、事前協議もなく一方的にソ連に有利な語句の挿入を許し、語句解釈に関する議論も一切行わないというものでした。アメリカ側の完敗です。

このような文面をアメリカ連邦議会上院に送れば、なぜそこまでソ連に譲歩するのかという話になり、大変な議論となることは必至でした。

アメリカの憲法体制では、大統領が外交に関する主要な責任を負っています。ただし、大統領の外交権は合衆国憲法第二章第二条第二項で制約されており、外国との条約締結は上院の三分の二以上の賛成による承認を必要とします。つまり、連邦議会の承認を得ない条約締結は憲法に違反します。

『ヤルタ会談 世界の分割──戦後体制を決めた8日間の記録』（アルチュール・コント、山口俊章・訳、二玄社、二〇〇九年）によれば、ヤルタ会談最終日、議定書を作成する段階で次のような経緯がありました。

《ホプキンズの慌ただしい新たなメモ。

「大統領閣下、閣下の法的権限と、上院が何を言い出すかということで、面倒なことになります。ハリー」

事実、大統領は、議会の承認なしに国境の決定や条約に関して約束する権限は持ち合わせない。

すべてを調整する手段を見つけ出したのはアルジャー・ヒスである。すなわち、「三大国」という代わりに、「政府の三首脳……」と表現しさえすればよかった》

ヤルタ議定書の冒頭に、「アメリカ合衆国、連合王国（イギリスのこと）及びソビエト社会主義共和国連邦の政府の首脳のクリミア会議」という表現が使われているのはこのためです。「三大国」や「三大国の政府」ではなく「政府の首脳」とすれば、主語はアメリカ合衆国でも政府でもなく、憲法上の問題は生じないという理屈はヒスのアイデアでした。ヒスはルーズヴェルト政権の国務省官僚として極めて「有能」だったのです。と同時に、ルーズヴェルト大統領とヒスは、アメリカの憲法を踏みにじり、アメリカの国益を損ない、ヤルタ密約を大本とする朝鮮戦争やヴェトナム戦争などでアメリカの多くの青年の命を奪うことになる「裏切者」でした。

ルーズヴェルトの死後、ソ連を警戒するトルーマン民主党政権下で、政権内部に入り込んだソ連の工作員たちが次々にあぶり出されました。東欧とアジアが共産化したことに危機感を抱いた連邦議会は公聴会を開き、ソ連の工作活動を徹底的に追及しました。その結果、「ヤルタ密約」は全否定されることになりました。

マンハッタン計画に参加していたソ連の工作員

ソ連の秘密工作は、広島・長崎に投下された原爆開発にも及びました。

一九九五年に公開された「ヴェノナ文書」は、アメリカの原爆プロジェクト「マンハッタン計画」をソ連が事前に把握していた事実も明らかにしました。

ヴェノナ文書によって、二〇〇人以上のスパイまたは協力者がアメリカ政府の官僚の任に就いて活動していたことが判明しましたが、その中には、マンハッタン計画に参加していたクラウス・フックス、ハリー・ゴールド、セオドア・ホールといった科学者も含まれていました。

一九四一年十二月にアメリカが第二次世界大戦に参戦したことを契機としてアメリカ政府に入り込むソ連のスパイは増加しました。これには次のような三つの理由があります。

一、米ソが対独戦争の同盟国となったこと。

二、ソ連が同盟国となったことを理由として、それまで共産党員を政府職員として雇うことを禁じていた法的な安全装置が外されたこと。

三、戦略諜報局（ＯＳＳ）、戦時生産委員会（ＷＰＢ）、戦争情報局（ＯＷＩ）といった、戦争遂行のために新設された機関が新規採用を増やしたこと。

世界最大の共産主義国は今や我々の同盟国である、軍や政府の公職から共産主義者を排除すべきではない、という理屈でした。アメリカ政府は、むしろ積極的に共産主義者を公務員として雇うようになったのです。

公務員を雇う時、以前は共産党員であるかどうかだけではなく、共産党の様々なフロント団体に加入しているかどうかもチェックしていたのですが、そのような質問自体を就職希望者にしてはいけないことになりました。つまり、政府機関に対して、共産主義者がノータッチで入り放題になったというわけです。

「マンハッタン計画」をソ連が事前に把握していた背景には、このような事情があるのです。

一九四二年十月　マンハッタン計画

通説

ルーズヴェルト大統領が核兵器開発プロジェクトを承認し、後に広島・長崎に原爆を投下することになるマンハッタン計画が本格化した

イギリスで組織されていたウラン爆弾の実現可能性を評価する委員会（MAUD委員会）が一九四一年十月、アメリカ政府に調査報告書を提出し、ウラン濃縮と爆弾小型化の可能性およびその早急な開発の必要性を勧告した。一九四二年十月、ルーズヴェルト大統領がヴァネヴァー・ブッシュ国防研究委員会議長とヘンリー・A・ウォレス副大統領とのミーティングにおいてプロジェクトを承認、マンハッタン計画は本格化する。

見直し

アメリカ政府内部に多くのスパイを送り込むことに成功したソ連は、マンハッタン計画を事前に把握していた

一九四一年十二月にアメリカが第二次世界大戦に参戦することで、ソ連工作員の浸透はさらに本格化していった。同盟関係を理由に積極的に共産主義者を公務員として雇うようになったからである。ルーズヴェルト政権は事実上、ルーズヴェルト民主党・共産党連立政権だった。

ＣＩＡの前身は、ソ連の工作員の巣だったＯＳＳ

一九四二年以降のアメリカは、もはやあらゆる省庁に共産党員が多かれ少なかれ浸透している状態でした。

当時重要な省庁だった農務省、資金を握る財務省や予算局、対外政策に関わる国務省、外国経済局、ＷＰＢ、ＯＳＳ、ＯＷＩなどには特に集中的に浸透していました。

中でも注意しておきたいのがＯＳＳつまり戦略諜報局への浸透です。ＯＳＳの前身は日米開戦五カ月前の一九四一年七月に設立された大統領直轄の統一情報調査局（ＣＯＩ）で、一九四二年六月にＯＳＳに改称されました。ＯＳＳは、世界各国の状況を研究し、戦争の遂行計画だけでなく、戦後の統治の仕組みまでを考える対外情報機関でした。ルーズヴェルト大統領は、第二次世界大戦を通じて、イギリスに代わってアメリカが世界の覇権国家となることを見据えていました。

ＯＳＳは、他の省庁から「公平で正確な情報源」として頼られていた機関でした。情報機関という機関の性質から任務の機密性が高く、当時はその実態が知られていませんでしたが、現在では共産主義者の浸透ぶりが明らかになっています。

ＯＳＳの長官は一九四五年九月の解散まで一貫してウィリアム・ドノバンという軍人が務めましたが、副官の筆頭格だったダンカン・リーという人物はソ連の工作員でした。ダンカン・リーはドノバン長官のもとに集まる機密書類をすべて読むことができる立場にいました。

しかも、このダンカン・リーは、ＯＳＳ日本部門の責任者でした。ダンカン・リーの主導の下、ＯＳＳ日本部門によって、東京裁判、神道を弾圧する神道指令、憲法改正、教育制度の改悪といった戦後の対日占領政策はつくられたのです。

実質的にルーズヴェルト民主党・共産党連立政権が対日占領政策をつくったとも言えるわけですが、共産党の影響がそれほど大きいことが判明したのは、ヴェノナ文書が公開された以降のことです。

「日本に憲法を押し付け、軍隊を解散に追い込むなど、不当な占領政策を強いたアメリカはけしからん」と怒る方がいますが、正確に言えば、「ルーズヴェルト民主党政権と、米国共産党によって、日本は不当な占領政策を押し付けられた」ということになるのです。敗戦後の日本の命運を決定したのは、勝者のアメリカでしたが、そのアメリカに大きな影響を与えていたのがソ連だったわけです。

ちなみにOSSを母体として戦後につくられた対外インテリジェンス機関が「CIA」です。CIAという機関がもともとソ連の工作員の巣だったということは知っておくべきでしょう。

日本を降伏させるな

戦時中、アメリカのルーズヴェルト政権は、日本に対して「無条件降伏」を求めていました。日本の奴隷化を意味しかねない「無条件降伏」に応じるわけにはいかないことから、当時の日本政府も軍部も徹底抗戦を叫ばざるを得ない状況に追い込まれていました。

ソ連の対日参戦は一九四五年八月八日です。五月八日のドイツ降伏からぴったり三カ月後でした。ドイツ降伏から二カ月または三カ月でソ連が対日参戦することと引き換えにアジアの莫大な領土と権益を与えるという「ヤルタ密約」通りの、その期限最終日です。

翌八月九日から、日本がポツダム宣言を受諾した八月十四日までの間の実質わずか六日間でソ連は、外モンゴル、南樺太、千島列島、満洲の港湾と鉄道の事実上の支配権を手に入れました。なお、ソ連は日本が降伏したにもかかわらず八月二十二日まで対日戦争を続けました。北方領土の不法占拠はこの時に起こったのです。

満洲は中国大陸で最も工業化した地帯でした。日本が開発したインフラがあったからです。ソ連はこの豊かな満洲の実権を握るとともに、日本軍が残した大量の武器弾薬および工場も手に入れます。軍事物資の一部は中国共産党に渡りました。

ソ連はまた、対日参戦の準備という名目で大量の食糧・燃料・資材をアメリカから獲得しています。さらにアメリカは、終戦時までに七百隻以上の小型戦艦の船団をソ連に提供し、乗組員の訓練も請け負っています。ヤルタ密約によってソ連は濡れ手に粟の状態でした。

五月にドイツが降伏したことから、日本の降伏ももはや時間の問題でした。そこでソ連は、ソ連参戦の準備が整うまで日本を降伏させない、という工作を行いました。

参戦前に日本が降伏してしまえば、ヤルタ密約で合意した領土や利権が得られなくなるからです。すでに軍事的に死に体の日本をできるだけ降伏させずにおくことが必要でした。

ソ連はまずアメリカに、対日参戦を正当化するプロパガンダを行います。「日本軍は抵抗力が強く、日本本土の地上戦を戦い抜かなければ降伏させられない」という軍事的情報をルーズヴェルト政権の上層部に上げ、これに反する情報は遮断するという工作を米軍や政府内で行っていました。

『スターリンの秘密工作員』によれば、「アメリカ陸軍はソ連の対日参戦を必要としている」という意見が軍の総意であるかのように吹聴したのは、ジョージ・マーシャル参謀総長と国防総省の彼のスタッフでした。マーシャルは、戦後の、対ソ警戒を強めた欧州復興援助計画（マーシャル・プラン）でよく知られていますから反共のイメージが強いのですが、少なくとも戦中は極めて親ソだった人物です。

また、ソ連は強硬な対日和平方針を煽りました。苛酷な戦後計画を日本に突きつけて「無条件降伏しか認めない」とする方針をアメリカ側に維持させ、日本が降伏を躊躇するように仕向けました。現に、ルーズヴェルト政権とトルーマン政権が天皇の安全を保証せずに無条件降伏を迫り続けたことが日本の降伏を遅らせたのです。

ルーズヴェルト大統領は、スターリンのこうした戦略の最高の協力者でした。アメリカの軍幹部たちはこの事態を深刻にとらえて、ルーズヴェルトに諫言していました。無条件降伏を要求すれば、日本は死に物狂いの状況におかれて戦争は長びきます。それは連合軍側の戦死者が増えることを意味しました。それでもルーズヴェルトは無条件降伏を主張し続けました。

「ソ連の対日参戦は必要ない」「連合国軍はすでに勝っている、ただちに講和すべきだ」と主張する軍人たちが少なからずいたことは、戦後、連邦議会の調査や証人喚問、新聞報道などで明らかになっています。

海軍では、ウィリアム・リーヒやアーネスト・キング、チェスター・ニミッツといった高名な軍人がソ連軍の日本本土上陸侵攻に反対していました。それでもルーズヴェルト大統領は「無条件降伏」政策にこだわり続けました。

ところが一九四五年四月、ルーズヴェルト大統領は急逝します。代わって大統領に就任した副大統領のトルーマンは、必ずしも「無条件降伏」政策にこだわっていませんでした。よって苛烈な硫黄島の戦いと沖縄戦を見たトルーマン政権は、日本との条件付き降伏を模索するようになったのです。

あのまま、ルーズヴェルト大統領が存命であったならば、日本は場合によっては本土決戦を強いられていたかもしれません。

一九四五年五月　ドイツ降伏と無条件降伏

通説

ヒトラーが自殺してベルリンが占領され、五月八日、ドイツは無条件降伏した

一九四五年に入るとドイツの敗戦は濃厚になった。四月二十三日にソ連軍が首都ベルリンに突入し、四月三十日にヒトラーが自殺。ベルリンはソ連軍に完全に占領され、五月八日、ドイツ軍最高司令官が降伏文書に署名し、ドイツの全陸海軍は無条件降伏した。

見直し

ドイツ降伏から正確に三カ月後の八月八日に対日参戦したソ連は日本降伏の引き延ばしを工作していた

日本政府はなぜもっと早く降伏しなかったのかと批判される場合が多いが、実際はソ連側が「無条件降伏しか認めない」とする強硬な対日和平方針をアメリカ側に維持させ、日本が降伏を躊躇《ちゅうちょ》するように仕向けていた。

日本は無条件降伏をしていない

一九四五年八月十四日の二十三時、日本は、中立国のスイス・スウェーデン経由で連合国側にポツダム宣言の受諾を通告しました。

しかし、それで戦争が終わったわけではありません。

国際法上、戦争状態が終結するのは、戦争当時国間で講和条約が締結され、その条約が発効した時点です。日本側には、連合国側と停戦協定を結んで各地の戦闘を終了させるとともに、講和条約締結に向けた作業を進める必要がありました。

この作業は非常に重要です。

例えばヨーロッパと中東の紛争がいまだに続いているのは、第一次世界大戦の戦後処理に問題があったからです。

しかし、当時の日本の指導者たちは、停戦交渉に一丸となって立ち向かったわけではありませんでした。九月二日、停戦協定たる降伏文書に外務大臣として調印した重光葵《まもる》は次のように書き残しています。

《降伏文書調印の代表使節を、何人にするかについて、少なからず困難があった。（中

略）

戦争が一日にして止んだ当時の、日本指導層の心理状態は異常なものであった。戦争の終結、降伏の実現について責任を負うことを極力嫌忌して、その仕事に関係することを避けた。この空気において降伏文書の調印に当たることは、公人としては破滅を意味し、軍人としては自殺を意味する、とさえ考えられた。》（『昭和の動乱』下、重光葵、中央公論社、一九五二年）

米軍艦艇ミズーリ号上で行われた降伏文書調印式には、全権代表として軍から梅津美治《よしじ》郎《ろう》大将、政府からは重光葵が出ました。近衛文麿以下、候補に挙げられた重臣たちが敗戦の責任をとることを嫌って全権代表になることを拒否して逃げたため、やむなく重光が任を負ったのです。

昭和天皇は、連合国側に「天皇処刑論」を唱える動きがあることを知りながら、「わたしのことはどうなってもかまわない」と仰せられ、ポツダム宣言の受諾を決断しました。

しかし、当時の日本のエリート層は動揺と責任回避の渦中にいました。

四月に内閣を組織していた鈴木貫太郎らは皇族を総理大臣として担ぐことで終戦工作を

乗り切ろうとし、八月十七日、東久邇宮《ひがしくにのみや》内閣が発足します。重光葵は同内閣の外務大臣でした。

終戦内閣である東久邇宮内閣には三つの責務がありました。

第一の責務は停戦です。日本軍は満洲や中国、太平洋の諸島、東南アジアといった広範囲に散在していました。すべての場所で確実に停戦を行う必要がありましたが、一般国民が皇室を素直に崇拝していたことをもって無事にこの責務は果たされます。昭和天皇の御聖断があればこそ、軍も一部の例外を除いて矛を収めました。玉音放送が外地にも一斉に伝えられるとともに、昭和天皇はまた、皇族を使者として各地に送りました。

第二の責務は、終戦に必要な手続きを完了させることでした。

八月十五日、連合国最高司令官に就いたダグラス・マッカーサーは、終戦手続きのために代表をフィリピンに派遣するよう日本に要請します。当時マッカーサーの司令部はフィリピンのマニラにありました。参謀次長・河辺虎四郎中将と外務省調査局長・岡崎勝男ら数名が派遣され、後日正式に調印する「降伏文書」の写しを持って帰りました。

この「降伏文書」の条文を忠実に実行すること、つまり、「終戦条件であるポツダム宣言の実行」が第三の責務でした。

降伏文書は日本側と連合国側の合意文書です。つまり、日本と連合国の双方が守る義務が明記されている文書です。ポツダム宣言受諾を指して「日本は無条件降伏をした」と言われることがよくありますが、降伏文書をきちんと読むと、日本は条件付降伏をしたことがわかります。

降伏文書は七つの条項から成っています。

その第一は、「一切の日本国軍隊及日本国の支配下に在る一切の軍隊の連合国に対する無条件降伏」となっています。ポツダム宣言が第十三条で述べていることを踏まえた条項で、「日本国」でも「日本政府」でもなく、あくまでも「軍隊」の無条件降伏です。ルーズヴェルト政権からトルーマン政権に変わり、少なくともポツダム宣言声明時のアメリカ政府は、「軍隊」の無条件降伏が講和の条件であるということを降伏文書に記したのです。

降伏文書において特に理解しておくべき極めて重要な点は統治の問題でしょう。降伏文書は、「直接統治」つまり連合国軍による日本支配ではなく、「間接統治」つまり日本政府による統治を認めています。

条項の第三で降伏文書は、日本国大本営に対して、自分の指揮下にある軍隊に無条件降伏を命じるよう指示しています。連合国司令官が直接、日本の軍隊に命令を発信しているのではありません。

条項の第四は、日本政府は官僚や軍に対して連合国司令官の命令にきちんと従うよう命令せよ、とし、連合国司令官は日本政府に委任して発令させる、としています。連合国司令官が直接命令を下すわけではありません。

日本政府を通じて命令を実行させるよう要求しているのですから、これは間接統治です。日本政府を交渉相手として認めるということでもあります。

ドイツの場合はナチス政府が崩壊したのちに降伏しました。連合国軍によって政府の不在が宣言され、分割占領されて直接「軍政」が敷かれることになりました。ドイツの状況と日本の状況は大きく違っていたということは知っておく必要があります。

また、条項の第五は、ポツダム宣言を誠実に履行すると約束し、そのために必要なことを連合国司令官や他の連合国代表が要求した場合には日本側が命令を発して措置を取ること、としています。そのポツダム宣言は第五条で「われわれの条件はつぎの通りである。われわれはこの条件から離脱することはない。これに代わる条件はない」としていました。

ポツダム宣言が伝えられた当時の外務大臣・東郷茂徳は、「条件はつぎの通りとしてあるのだから無条件降伏を求めたものではないことは明らかだ」と受け止めていました。

重光葵もまた「第一、軍隊の無条件降伏であって、（中略）ドイツの場合と異なり、日本政府の存立は否定したものではなかった。のみならず、日本が将来国家としても、また国民としても生活し得るために、原料の供給等を保障したものであった」と述べています。

重光葵の奮闘

この「降伏文書」調印直後、ポツダム宣言および降伏文書に関して大きな問題が持ち上がりました。アメリカ側にはあくまでも「日本政府の無条件降伏」にこだわる動きがあり、それが表面化したのです。

九月二日、ミズーリ号上で調印が行われた日のその夜のこと、外務省の鈴木九万《ただかつ》公使が横浜に置かれた総司令部に呼ばれ、翌日三日の午前十時にマッカーサーが日本国民に対して統治に関する布告を行う予定であることが知らされました。

占領軍は日本全土を占領して軍政を布き、米軍の軍事裁判所が日本国内の裁判権を行使し、総司令部は日本において軍票を行使する、というのです。軍票とは、占領軍が発行する代用紙幣です。マッカーサー司令部は無条件降伏をしたドイツと同じように日本を扱おうとしました。司法権と通貨を奪われれば日本は名実ともに独立国ではなくなります。

鈴木の報告を受けて外務省の岡崎勝男が直ちに連合軍司令部に駆けつけ、すでに就寝していた参謀長を起こして談判し、翌朝の布告をとりあえず差し止めます。そして、三日、重光葵が朝一番に約束を取り付け、マッカーサーと面会するために司令部に乗り込みました。重光は三つの理由を挙げて、軍政を布かないようにマッカーサーを説得します。

第一の理由は、皇室と国民の絆こそがポツダム宣言を遂行するうえで不可欠である、ということです。マッカーサーは、停戦が無血で済んだことを戦史上空前として高く評価していました。重光はそれを逆手に取り、天皇陛下の意向でできた皇族内閣を否定する軍政に踏み切ればポツダム宣言は円滑に実行できない、と脅したのです。

第二の理由は国際法でした。占領軍が軍政を布いて直接に行政実行の責任を取ることはポツダム宣言以上のことを要求するものであり国際法に違反する、と批判しました。日本政府は占領政策を遂行するつもりだが、軍政を布くならば日本政府としては責任を負えなくなるぞ、としたのです。

第三に、重光は、日本政府はすでにマッカーサー最高司令官の指令を着実に遂行しつつあることを伝えました。日本政府にはポツダム宣言を自らが遂行する能力があることを主張したのです。前掲書で重光は、次のように述べています。

《特に、天皇陛下のポツダム宣言実行の御決意を力説し、また平和的御意図については、満洲事変前にもさかのぼって、事を分けて説明した。

総司令官は、理解と興味とをもってこれを聴取し、遂に軍政の施行を中止することを承諾し、その場において、直ちに必要の措置をとることをサザランド参謀長に命じ、参謀長はその場から電話をもって総司令官の命令伝達の措置をとった。》(『昭和の動乱』下)

国際法を熟知した重光らの奮闘で、日本は間接統治を守ることができたのです。それは、米軍の軍人たちが直接、日本を統治することを避けることができた、という意味です。

仮に軍政、つまり直接統治になっていたら、日本の事情をよく知らない、というか、日本を「軍国主義」だと誤解していた米軍の軍人たちが政府、官僚組織に乗り込んで、権力を笠にきて、あれこれと無茶苦茶な命令を乱発していたに違いありません。そうなれば、日本政府は大混乱に陥り、場合によっては、米軍への反感から争乱が頻発し、戦後の復興も危うくなっていたでしょう。

国際的な交渉において政治家、外交官が国際法を使いこなすことができるかどうかが、国家の命運を左右するのです。

一九四五年八月　日本がポツダム宣言を受諾

通説

一九四五年八月十四日、日本は、日本軍の無条件降伏と日本の戦後処理方針からなるポツダム宣言の受諾を連合国側に通告した

アメリカによってイギリスに提案され、米英中の三交戦国の名で七月に発表された日本軍の無条件降伏と日本の戦後処理方針からなるポツダム宣言を受諾する旨を八月十四日、日本が連合国側に通告。翌十五日、天皇のラジオ放送で戦争終結が国民に発表された。こうして六年にわたる第二次世界大戦が終わった。

見直し

ポツダム宣言に基づく降伏文書は、連合国軍による日本支配ではなく日本政府による統治を認めていた

近衛文麿を始めとする重臣たちが頑なに調印役から逃げる中、やむなく調印の任を負った重光葵は、降伏文書調印の翌日九月三日にマッカーサー連合国最高司令官に直談判を行った。軍政を敷いて直接統治を行うという布告を出す予定だったマッカーサーを説得して布告を止めさせ、間接統治の条件を守らせた。

トルーマン政権下で「弱い日本派」が台頭

永田町で仕事をしているとき、日米関係で最も気にしていたのは、アメリカの対日政策担当者がどういう人物なのか、ということです。

具体的には、ホワイトハウス、国務省、国防総省の対日政策担当者のことです。その人事が日米関係に大きな影響を与えるからです。例えば、国務省の対日政策担当者が韓国の専門家であれば、日韓関係が大きな課題となると予想されますし、経済界の人ならば、日米の通商政策が課題となる、というふうに考えるわけです。もちろん、アメリカ側も日本の外務大臣、防衛大臣が誰になるのかを注目しています。

日本が未曾有《みぞう》の敗戦を迎えた一九四五年八月十五日の、昭和天皇の玉音放送に先立つ数日の間に、トルーマン民主党政権下の国務省では、次々と「強い日本派」が要職を外されるという事態が生じていました。

「強い日本派」とは、前述したように「アジアでの紛争はソ連が引き起こしているからであり、ソ連の防波堤として日本の行動を理解すべきである」と分析していた勢力です。

バーンズ国務長官は、ポツダム会談から帰国後の八月十一日、かつて駐日大使として日米開戦回避に努めていたことでも知られる「強い日本派」のジョセフ・グルーに代え、親中派で、どちらかといえば「弱い日本派」のディーン・アチソンを国務次官に任命します。

国務省極東課スタッフも、中国派に入れ替わっていきました。極東部長は、知日派で「強い日本派」のジョセフ・バランタインから、「弱い日本派」のジョン・カーター・ヴィンセントに交代しました。ヴィンセントは、中国共産党を高く評価するとともに、中国共産党への支援を強く主張する官僚として知られた「三人のジョン」の内の一人です（あとの二人はジョン・スチュアート・サーヴィス、ジョン・パットン・デイヴィス）。

連合国最高司令官マッカーサーの政治顧問には、グルーの腹心で日本勤務経験の長いユージン・ドゥーマンが就くと予想されていましたが、中国で勤務していたジョージ・アチソンが指名されました。

かくして、ある意味、「弱い日本派」が主導権を握ったトルーマン政権は九月六日、「降伏後におけるアメリカの初期対日方針」（SWNCC150／4）を承認し、並行してマッカーサー司令部に「日本占領及び管理のための連合国最高司令官に対する降伏後における初期の基本的指令」（対日指令。JCS1380／15）を指示しました。

この対日指令は、ナチス・ドイツの解体を目指したモーゲンソー計画をもとにつくられていました。モーゲンソー計画とは一九四四年九月、イギリスのチャーチル首相に対してルーズヴェルト大統領と財務長官のヘンリー・モーゲンソーが提案したプランです。

この計画は極めて報復的で、厳しい占領政策でした。工業を解体して純農業国にする、経済復興は許さない、フランスをはじめとする交戦したヨーロッパ諸国よりもドイツの生活水準を低く保つ、など懲罰的な意味が強い計画です。工業の解体は、軍事力の解体を意味します。ドイツが独立国家として生きていくことができないようにする政策でした。「降伏後におけるアメリカの初期対日方針」も、日本に対して独立国家として生きていくことができないよう、軍事、外交、インテリジェンス、経済といった能力を奪うことを目的としたものでした。

その指令は多方面にわたりました。皇室財産の公有化（つまり皇室財産の没収）、公職者の逮捕・抑留、経済界や教育界からの「軍国主義者」の追放（誰が「軍国主義者」に該当するのかは、GHQ側が恣意的に決定)、軍解体のみならず潜在的戦争能力を破壊するための鉄鋼・化学製品・非鉄金属・アルミニウム・マグネシウム・人造ゴム・人造石油・工作機械・ラジオ・電気器具・自動車輛・商船・重機械などの生産の縮減などです。

次いで「言論および新聞の自由に関する覚書」が提示されます。アメリカやソ連、中国、そして占領政策について批判的な記事を書くことが禁じられます。プレス・コードといって、次の項目について書くことを禁じられたのです。

SCAP(連合国軍最高司令官もしくは総司令部)に対する批判
極東国際軍事裁判批判、GHQが日本国憲法を起草したことに対する批判
検閲制度への言及、アメリカ合衆国への批判、ロシア(ソ連邦)への批判
英国への批判、朝鮮人への批判、中国への批判、その他の連合国への批判
連合国一般への批判(国を特定しなくとも)、満洲における日本人取り扱いについての批判
連合国の戦前の政策に対する批判、第三次世界大戦への言及
冷戦に関する言及、戦争擁護の宣伝、神国日本の宣伝、軍国主義の宣伝

ナショナリズムの宣伝、大東亜共栄圏の宣伝、その他の宣伝
戦争犯罪人の正当化および擁護、占領軍兵士と日本女性との交渉、闇市の状況
占領軍軍隊に対する批判、飢餓の誇張、暴力と不穏の行動の煽動、虚偽の報道
GHQまたは地方軍政部に対する不適切な言及、解禁されていない報道の公表

相手国を支配しようとする場合、まっさきに軍隊と警察が抑えられ、次いで放送局を含むマスコミへの言論統制が始まります。これは相手を占領したときの常とう手段です。

十月十日には、日本共産党の幹部である徳田球一、志賀義雄らを釈放します。人権指令を起草し、共産党の幹部を釈放させたのは、カナダ外務省から出向してきていたGHQ対敵諜報部調査分析課長ハーバート・ノーマンでした。ノーマンはアメリカ上院司法委員会で共産党員ではないかと追及され、一九五七年に自殺した人物です。人権指令は約三千人の政治犯を釈放しました。言ってしまえば、共産主義革命の担い手が日本社会に解き放たれたのです。

共産党や革命勢力を取り締まる治安維持法も廃止されました。

十月下旬には、「日本教育制度に関する覚書」を公布していわゆる「軍国主義者」の教

職追放を宣言し、「信教の自由に関する覚書」を公布し、「教職員の調査、精選および資格決定に関する覚書」を公布しました。学校現場から、占領政策に批判的な教職員を追放し、代わって、占領政策、つまり米軍に迎合する教職員を採用するようにしたのです。

十一月に入って、陸軍省・海軍省も廃止され、軍事機密を守るための、いわゆるスパイ防止法なども廃止されます。

十二月には、神道指令の名で知られる「国家神道に対する政府の保証・支援・保全・監督および弘布の廃止に関する覚書」が指示されました。十二月三十一日、「修身・日本史および地理の授業停止と教科書回収に関する覚書」が提示されました。

日本から独立国家としての能力を奪い、日本を徹底的に弱くすることがアジアの平和を守ることだとする「弱い日本派」の政策が、敗戦後の日本に押し付けられたわけです。

中国の建国と朝鮮戦争が転機だった

この対日政策が転換した契機となったのは、一九四九年の中国共産党政権の樹立と、その翌年に起こった朝鮮戦争でした。

朝鮮戦争の勃発は、「日本で武器・弾薬の生産をしなければアメリカは朝鮮半島で戦えない」という現実を明らかにしました。アメリカは「弱い日本」政策から「強い日本」政策へと、転換します。

一九四六年一月四日に行われた連合国最高司令部覚書に基づく公職追放は、軍人や保守派の人たちが「軍国主義者」、あるいは「右翼」として追放されたものでした。

ところが朝鮮半島の情勢が緊迫する中、一九五〇年六月には幹部をはじめとする日本共産党の関係者が追放されました。そして朝鮮戦争勃発後の八月、マッカーサー司令官の命令で警察予備隊が組織されます。国家地方警察と自治体警察の警察力を補うものとして設けられた武装組織です。警察予備隊は一九五二年十月、現在の陸上自衛隊にあたる保安隊に改組されます。

一九五〇年六月　朝鮮戦争勃発

通説

中国革命の成功に触発された北朝鮮が武力統一を目指し北緯三十八度線を越えて韓国に侵攻、朝鮮戦争が勃発した

一九五〇年六月、北朝鮮軍が南北統一を目指して境界線である三十八度線を越えて侵攻し、朝鮮半島南端の釜山近郊に迫った。国連安全保障理事会はこれを侵略と認め、勧告に応じたアメリカ軍を中心とする国連軍が韓国を支援して介入。中国は北朝鮮側を応援して義勇軍を派遣した。一九五三年に休戦協定が結ばれ、南北朝鮮の分断が固定した。

見直し

朝鮮戦争の勃発は、日本を軍事的に強化しなければアメリカは朝鮮半島で戦えないという現実を突きつけた

アメリカは日本の弱体化を目的とした占領政策を方向転換した。一九五〇年六月には日本共産党の関係者を追放し、八月には警察力を補う武装組織・警察予備隊が組織された。

日本は「侵略戦争をした悪い国」だから、再び武装することを禁じると、現行憲法で規定されました。その背景には、「強い日本がアジアに混乱を巻き起こす」ので、日本は弱い方がいいとする「弱い日本派」の考え方がありました。

ところが現行憲法制定からわずか四年も経たないうちに、中華人民共和国（中国共産党政権）の樹立と朝鮮戦争の勃発を受けて、「弱い日本のままだと、アジアの平和と安定を守ることはできない」、言い換えれば「強い日本がアジアに安定をもたらす」という「強い日本派」の考え方に立脚するようになり、日本に対して再軍備を命じたわけです。要は国際社会の状況次第で、アメリカの対日政策はころころと変わるわけです。

その後もアメリカは基本的には、旧ソ連や中国共産党政権、そして北朝鮮の軍拡に対抗して、日本に対して軍事力の増強を求めてきましたが、日本はどちらかというと、立場をはっきりさせず、選択をすることを避けてきたと言わざるを得ません。

しかし、そろそろ、「日本は侵略戦争をする悪い国だから、日本を弱くした方がいい」という「弱い日本派」の立場に立つのか、それとも「日本が強くなった方がアジアの平和と繁栄を守れる」とする「強い日本派」の立場に立つのか、選択をしなければなりません。

日本人自身が「日本は侵略戦争をする悪い国だから、日本を弱くした方がいい」という「弱い日本派」の立場に立つならば、国際社会も当然のことながら、国際社会で日本が活躍することを望まないでしょう。実際に「弱い日本派」の立場に立つ中国や韓国は、ことあるたびに日本を非難し、日本の地位と名誉を損なう動きをしてきます。

一方、「強い日本がアジアに安定と平和をもたらす」と考える「強い日本派」の立場に立つならば、日本は積極的に国際社会に出て活躍すべきですし、第二次安倍政権などは「自由で開かれたインド太平洋構想」を掲げて、アメリカ、インド、オーストラリアなどとの関係を強化しつつあります。そして、「頼りになる日本」となれば、友好国は過去の日本についてあれこれと言わなくなるものです。

自由と民主主義に基づくインド太平洋地域の発展を願う私としては、「強い日本がアジアに平和と繁栄をもたらす」という考え方で日本は進んでいってほしいと思っていますが、読者の皆さんはいかがでしょうか。

おわりに——頼りになる同盟国になれば近現代史の評価も変わってくる

太平洋の取り引き

アメリカは敵と味方を間違える天才です。そして、味方だと思えば、多少の失敗、問題点を甘めに見ようとするのがアメリカです。

実は一九九〇年代後半、アメリカでは、日本の戦争責任を追及する動きが強まりました。中国系アメリカ人のアイリス・チャン女史が『ザ・レイプ・オブ・南京』（未邦訳）を書いて、対日戦後補償要求を煽ったこともあって、「バターン死の行進」などで、日本軍に捕虜になったアメリカの捕虜グループが一斉に日本に対して戦後補償裁判を起こしたのです。

一九九九年、カリフォルニア州議会は、民事訴訟法に「賠償・第二次世界大戦、奴隷的な強制労働」という条項を追加しました。この改正で「ナチの体制、同盟者、支持者の占領・支配下にある地域の企業などから、一九二九年から四五年にかけての強制労働に対し賃金を支払われなかった者」は、二〇一〇年までにその企業に対し訴訟を起こすことができるようになったのです（この法改正を主導したカリフォルニア州議会のトム・ヘイデン上院議員の名前をとって「ヘイデン法」と呼ばれる）。

このヘイデン法に基づき一九九九年八月、アメリカ人の元捕虜が三井物産ら四社を相手取って損害賠償請求訴訟をロス地裁で起こしました。しかも、この提訴に追い打ちをかけるように、カリフォルニア州議会は全会一致で南京大虐殺や慰安婦などを引き合いに出して日本政府による「明確な謝罪」と「すみやかな賠償金の支払い」を求める決議を採択したのです。

なぜナチスによる強制労働を対象とした法改正で、日系企業が提訴されなければならなかったのか。その理由は「日本はナチス・ドイツの同盟国だった」（原告側弁護士デビッド・ケーシー氏）からだということでした。その後もミネソタ、ニュージャージー州などが相次いで同趣旨の立法を行い、二〇〇一年九月には、シカゴの連邦地裁に元捕虜たちが在米日系企業を相手に総額一兆ドル（百二十兆円）の集団訴訟を起こし、深刻な外交問題に発展しました。

全米に広がる対日戦後補償裁判に対して、ジョージ・ブッシュ共和党政権は直ちに「サンフランシスコ講和条約で賠償問題は解決済み」（パウエル国務長官）という立場を堅持することを明言しました。

ところが、ブッシュ政権の思惑通りに事態は収束しませんでした。若くて美人のアイリス・チャン女史らが共和党の大票田である退役軍人グループと一緒になって元捕虜の戦後補償要求を支持するよう議員たちに働きかけてきたため、連邦議会の反日傾向は、ブッシュ政権の思惑を遥かに超えるものになっていたのです。

二〇〇一年七月に連邦議会の下院が、九月に上院が、それぞれ日系企業に対する戦後補償裁判に対し、国務・司法両省の意見書提出を事実上不可能とする修正条項を盛り込んだ歳出法案を圧倒的多数で可決し、「ブッシュ政権は日系企業を支援するな」と通告したのです。

このとき、私は、元捕虜たちから訴えられた日系企業の顧問弁護士や外務省幹部、そして国際政治学者の皆さんとともに、この対策に奔走していましたが、「日本軍によって虐待された元アメリカ人捕虜たちの余命はわずかであり、彼らの名誉回復をいまこそ成し遂げるべきだ」とするアメリカ側の意見になすすべもない状態でした。

日米同盟を重視するブッシュ政権も、さすがに連邦議会の意向には逆らえません。このままだと在米日系企業が敗訴する（または、巨額の和解金を支払わなければならない）恐れが出てきました。

ところが、事態はその直後の九・一一同時多発テロによって一変したのです。このとき、小泉純一郎総理は国際社会でいち早く、アメリカのテロとの戦いを支持する旨を明言しました。国際的なテロとの戦いにおいて、日本は頼りになる味方だと、小泉総理はアメリカにアピールしたのです。

このアピールの効果は絶大でした。「国際テロとの戦いで重要度を増す日米同盟を危うくしかねない」（モンデール元駐日大使）と考えたブッシュ政権は、法案の削除を連邦議会に要請、議会もこれに同意したのです。一旦可決した法案を後日削除したケースは建国以来数回しかないという異例の措置でした（その後、二〇〇三年十月、連邦最高裁は「サンフランシスコ講和条約で対日戦後賠償は解決済み」として原告の請求を棄却、訴訟は終息しました）。

このブッシュ政権の方針転換を後押ししたのが、三人の駐日大使経験者たちでした。歴代駐日アメリカ大使の三人、つまりウォルター・F・モンデール氏、トーマス・S・フォーリー氏およびマイケル・H・アマコスト氏が連名で、「太平洋の取り引き（Pacific Deal)」と題する記事を、二〇〇一年九月二十五日付米紙ワシントン・ポストに掲載したのです。

日本がテロとの戦いに協力してくれるならば、元捕虜たちによる対日戦後補償要求は諦めるべきだ、という取り引きをすべきだというのが、三人の大使の意見でした。

サンフランシスコ講和条約で賠償問題は決着済み

アメリカの政治家、外交官が歴史問題と国際政治の関係をどのように考えているのか、実に参考になるので、記事を邦訳し、解説を加えたいと思います。

《元駐日大使として、私たちは、現在、議会で検討されているある法案に、非常に懸念を持っています。もし採用されれば、この修正は重要な同盟国、日本と私たちの関係を蝕むでしょう。それは、わが国の安全保障に対する重大、かつ否定的な影響をもたらすでしょう。当該の条項は、確かに尊敬すべき目的を持っています。元・合衆国捕虜を助けるのですから。》

懸念をもっている法案とは、二〇〇一年七月に連邦議会の下院が、九月に上院が、それぞれ日系企業に対する戦後補償裁判に対し、国務・司法両省の意見書提出を事実上不可能とする修正条項を盛り込んだ歳出法案のことです。この法案が成立すると、元アメリカ人捕虜が有利になりますが、それは同時に、対日戦後補償裁判で日系企業が敗訴する可能性が高まることになります。

そして、日系企業が敗訴するということは、日米間の国際条約を蔑ろにすることになりかねないのです。三人の大使はこう訴えます。

《しかし、その目標を追求する際に、この修正は、アメリカの最も重要な条約のうちの一つ、すなわち、太平洋での第二次世界大戦を終わらせた一九五一年のサンフランシスコ条約を破棄するでしょう。

その条約は太平洋における米国の安全保障制度の基礎です。というのは、それは、半世紀の間、日本に合衆国の軍隊の駐留を許可している、関連づけられた双務協定の法的かつ政治的な根拠を提供するからです。サンフランシスコ条約は、合衆国が依存する他の双務ならびに多国間の安全保障協定を定着させます。》

要は、サンフランシスコ講和条約と、その条約と連動して結ばれた日米安保条約が日米同盟を支える国際条約なのです。そしてこのサンフランシスコ講和条約では、先の大戦に関する賠償問題は決着済みとなっているのです。

よって元捕虜たちによる日系企業への戦後補償裁判が成立するとなると、サンフランシスコ講和条約を損なうことになり、日米同盟を危うくすることになってしまうのです。

《大統領および彼の政権がテロリズムと戦うため、非常に熱心に連合を強固に作ろうとしている時に、なぜ議会は、われわれの安全保障にとって非常に根本的な条約を改廃できる法律を可決しようと考慮するのでしょうか。

確かに、それは議会が目指したものではありません。むしろ、議員たちは、第二次世界大戦中に日本に捕らえられていた元捕虜である米国の退役軍人たちの嘆願に応えようとしてきました。これらの元捕虜の多くは、日本軍による非人道的な扱いや、日本軍の捕虜の残酷さや非人間性について、心が痛むような話をしています。

元捕虜の一部は、実際に彼らを抑留し、強制的に働かせたのは日本企業であるとして、長年にわたって日本企業を相手に訴訟を起こそうとしてきました。しかし裁判所は、元

捕虜の訴えはサンフランシスコ条約で解決済みであるとして一律に却下してきました。》

元捕虜たちの気持ちは理解するものの、戦後補償問題は、サンフランシスコ講和条約で決着済みであり、テロとの戦いを始めているこの時期に、日米同盟をおかしくするような法案を可決するべきではないと、三人の大使は訴えたのです。

この三人の大使の訴えをどのように受け止めるべきでしょうか。

第一に、先の戦争をめぐる戦後補償問題は、サンフランシスコ講和条約で決着済みだということです。よって先の戦争関係で、アメリカを含む関係各国から、日本が賠償金を要求されることはない、ということです。

第二に、アメリカ、正確に言えばアメリカ政府は、日本がともに敵と戦う「頼りになる同盟国」となろうとするならば、歴史認識問題で日本を追及するようなことはしない、ということです。彼らアメリカの政治家たちにとって歴史認識問題は、学問の問題というよりも、同盟関係、国際政治の問題なのです。

第三に、とはいえ、学問の自由があり、先の大戦を含む近現代史については自由な議論があってしかるべきですし、本書で紹介したように、アメリカでは近現代史の見直しが起こっています。よってアメリカには「日本は侵略戦争をした悪い国だ」と決めつける人もいれば、「ソ連の秘密工作の影響を受けて日本を挑発したルーズヴェルト民主党政権にも責任の一端がある」と考える人もいる、ということです。

そして我々日本人は、学問の自由を尊重し、「ソ連の秘密工作の影響を受けて日本を挑発したルーズヴェルト民主党政権にも責任の一端がある」という議論に注目していると、国際社会で大いに主張していきたいものです。

以上、国際社会の中でしたたかに振る舞っていくために、日本人として近現代史に関するグローバル・トレンドをどのように受け止め、考えるべきなのか、主なポイントを書きました。歴史、特に近現代史に関する歴史認識は、国際社会に大きな影響を与えます。その影響の大きさに着目し、アメリカも中国もロシアも韓国も、世界各国の多くが、影響力工作といってインテリジェンス活動の一環として、自国にとって有利な国際社会をつくるために、歴史認識を利用しています。

日本も歴史認識問題について、事実に基づく歴史研究を進めるとともに、外国のインテリジェンス活動に対してはしたたかに対応できるようになっていきたいものです。

著者略歴

江崎道朗（えざき・みちお）

1962年、東京都生まれ。九州大学卒業後、国会議員政策スタッフなどを経て2016年夏から本格的に評論活動を開始。主な研究テーマは近現代史、外交・安全保障、インテリジェンスなど。社団法人日本戦略研究フォーラム政策提言委員。産経新聞「正論」執筆メンバー。「江崎塾」主宰。2020年 フジサンケイグループ第20回正論新風賞受賞。主な著書に『日本は誰と戦ったのか』（第1回アパ日本再興大賞受賞、ワニブックス）、『知りたくないではすまされない ニュースの裏側を見抜くためにこれだけは学んでおきたいこと』（KADOKAWA）、『緒方竹虎と日本のインテリジェンス』（PHP新書）などがある。

SB新書 563

日本人《にほんじん》が知《し》らない近現代史《きんげんだいし》の虚妄《きょもう》

インテリジェンスで読《よ》み解《と》く第二次世界大戦《だいにじせかいたいせん》

2021年12月15日　初版第1刷発行

著　者　江崎道朗《えざきみちお》

発行者　小川 淳

発行所　SBクリエイティブ株式会社
〒106-0032　東京都港区六本木2-4-5
電話：03-5549-1201（営業部）

装　幀　長坂勇司（nagasaka design）

本文デザイン・DTP　荒木香樹

編集協力　尾崎克之

印刷・製本　大日本印刷株式会社

本書をお読みになったご意見・ご感想を下記URL、
または左記QRコードよりお寄せください。

https://isbn2.sbcr.jp/11828/

落丁本、乱丁本は小社営業部にてお取り替えいたします。定価はカバーに記載されております。本書の内容に関するご質問等は、小社学芸書籍編集部まで必ず書面にてご連絡いただきますようお願いいたします。

ISBN 978-4-8156-1182-8